涵芬楼宋刊本

资治通鉴

简化字点校本

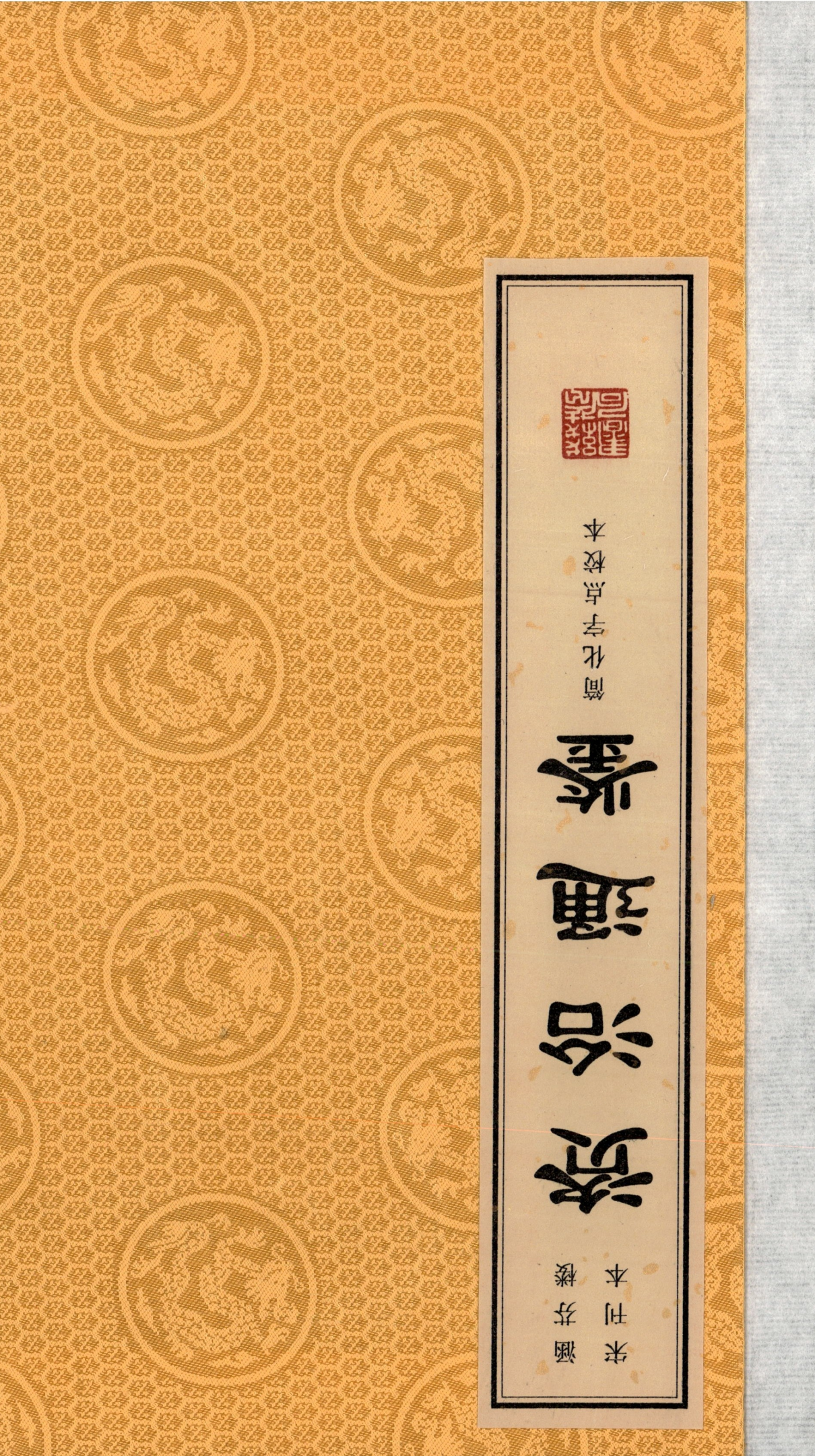

线装书局

资治通鉴卷第二百二十七

唐纪四十三起重光作噩六月，尽玄黓阉茂，凡一年有奇。

德宗神武圣文皇帝二

建中二年（辛酉，公元七八一年）

六月，庚寅，以浙江东、西观察使、苏州刺史韩滉为润州刺史、浙江东、西节度使，名其军曰镇海。

张著至襄阳，梁崇义益惧，陈兵而见之。蔺杲得诏不敢发，驰见崇义，请命。崇义对著号泣，竟不受诏。著复命。癸巳，进李希烈爵南平郡王，加汉南、汉北兵马招讨使，督诸道兵讨之。杨炎谏曰：「希烈为董秦养子，亲任无比，卒逐秦而夺其位。为人很戾无亲，无功犹倔强不法，使平崇义，何以制之！」上不听。炎固争之，上益不平。

荆南牙门将吴少诚以取梁崇义之策干李希烈，希烈以少诚为前锋。少诚，幽州潞人也。

时内自关中，西暨蜀、汉，南尽江、淮、闽、越，北至太原，所在出兵，而李正己遣兵扼徐州甬桥、涡口，梁崇义阻兵襄阳，运路皆绝，人心震恐。江、淮进奉船千馀艘，泊涡口不敢进。上以和州刺史张万福为濠州刺史。万福驰至涡口，立马岸上，发进奉船，淄青将士停岸睥睨不敢动。

辛丑，汾阳忠武王郭子仪薨。子仪为上将，拥强兵，程元振、鱼朝恩谗谤百端；诏书一纸征之，无不即日就道，由是谗谤不行。尝遣使至田承嗣所，承嗣西望拜之曰：「此膝不屈于人若干年矣！」李灵曜据汴州作乱，公私物过汴者皆留之，惟子仪物不敢近，遣兵卫送出境。校中书令考凡二十四，月入俸钱二万缗，私产不在焉；府库珍货山积。家人三千人，八子、七婿皆为朝廷显官；诸孙数十人，每问安，不能尽辩，颔之而已。仆固怀恩、李怀光、浑瑊辈皆出麾下，虽贵为王公，常颐指役使，趋走于前，家人亦以仆隶视之。天下以其身为安危者殆三十年，功盖天下而主不疑，位极人臣而众不疾，穷奢极欲而人不非之，年八十五而终。其将佐至大官、为名臣者甚众。

壬子，以怀、郑、河阳节度副使李芃为河阳、怀州节度使，割东畿五县隶焉。

北庭、安西自吐蕃陷河、陇，隔绝不通，伊西、北庭节度使李元忠、四镇留后郭昕帅将士闭境拒守，数遣使奉表，皆不达，声问绝者十馀年。至是，遣使间道历诸胡自回纥中来，上嘉之。秋，七月，戊午朔，加元忠北庭大都护，赐爵宁塞郡王；以昕为安西大都护、四镇节度使，赐爵武威郡王；将士皆迁七资。元忠姓名，朝廷所赐也，本姓曹，名令忠；昕，子仪弟〔之子〕也。

李希烈以久雨未进军，上怪之，卢杞密言于上曰：「希烈迁延，以杨炎故也。陛下

何爱炎一日之名而堕大功？不若暂免炎相以悦之。事平复用，无伤也。』上以为然。庚申，以炎为左仆射，罢政事。以前永平节度使张镒为中书侍郎、同平章事。镒，齐丘之子也。以朔方节度使崔宁为右仆射。

丙子，赠故伊州刺史袁光庭工部尚书。光庭天宝末为伊州刺史，吐蕃陷河、陇，光庭坚守累年，吐蕃百方诱之，不下。粮竭兵尽，城且陷，光庭先杀妻子，然后自焚。郭昕使至，朝廷始知之，故赠官。

辛巳，以邠宁节度使李怀光兼朔方节度使。

癸未，河东节度使马燧，昭义节度使李抱真，神策先锋都知兵马使李晟，大破田悦于临洺。时悦攻临洺，累月不拔，城中食且尽，府库竭，士卒多死伤。张伾饰其爱女，使出拜将士曰：『诸君守战甚苦，伾家无他物，请鬻此女为将士一日之费。』众皆哭，曰：『愿尽死力，不敢言赏！』李抱真告急于朝，诏马燧将步骑二万与抱真讨悦，又遣李晟将神策兵与之俱；又诏幽州留后朱滔讨惟岳。燧等军未出险，先遣使持书谕悦，为好语。悦谓燧畏之，不设备。燧与抱真合兵八万，东下壶关，军于邯郸，击悦支军，破之。悦方急攻临洺，分李惟岳兵五千助杨朝光。明日，燧等进攻朝光栅，悦将万馀人救之，燧命大将李自良等御之于双冈，令之曰：『悦得过，必斩尔！』自良等力战，悦军却。燧推火车焚朝光栅，斩朝光，获首虏五千馀级。居五日，燧等进军至临洺，悦悉众力战，凡百馀合，悦兵大败，斩首万馀级。悦引兵夜遁，邢州围亦解。

时平卢节度使李正己已薨，子纳秘之，擅领军务。悦求救于纳及李惟岳，纳遣大将卫俊将兵万人，惟岳遣兵三千人救之。悦收合散卒，得二万馀人，军于洹水；淄青军其东，成德军其西，首尾相应。马燧帅诸军进屯邺，奏求河阳兵自助；诏河阳节度使李艽将兵会之。

八月，李纳始发丧，奏请袭父位，上不许。

梁崇义发兵至江陵，至四望，大败而归，乃收兵襄、邓。李希烈引军循汉而上，与诸道兵会；崇义遣其将翟晖、杜少诚逆战于蛮水，希烈大破之；追至疎口，又破之。二将请降，希烈使将其众先入襄阳慰谕军民。崇义闭城拒守，守者开门争出，不可禁。崇义与妻赴井死，传首京师。

范阳节度使朱滔将讨李惟岳，军于莫州。张孝忠将精兵八千守易州，滔遣判官蔡雄说孝忠曰：『惟岳乳臭儿，敢拒朝命；今昭义、河东军已破田悦，淮宁李仆射克襄阳，计河南诸军，朝夕北向，恒、魏之亡，可伫立而须也。使君诚能首举易州以归朝廷，则破惟岳之功自使君始，此转祸为福之策也。』孝忠然之，遣牙官程华诣滔，遣录事参军

董稹奉表诣阙，滔又上表荐之。上悦。九月，辛酉，以孝忠为成德节度使。命惟岳护丧归朝，惟岳不从。孝忠德滔，为子茂和娶滔女，深相结。

壬戌，加李希烈同平章事。

初，李希烈请讨梁崇义，上对朝士亟称其忠。黜陟使李承自淮西还，言于上曰：『希烈必立微功，但恐有功之后，偃蹇不臣，更烦朝廷用兵耳。』上不以为然。希烈既得襄阳，遂据之为己有，上乃思承言。时承为河中尹，甲子，以承为山南东道节度使。上欲以禁兵送上，承请单骑赴镇。至襄阳，希烈置之外馆，迫胁万方，承誓死不屈，希烈乃大掠阖境所有而去。承治之期年，军府稍完。希烈留牙将于襄州，守其所掠财，由是数有使者往来。承亦遣其腹心臧叔雅往来许、蔡，厚结希烈腹心周曾等，与之阴图希烈。

初，萧嵩家庙临曲江，玄宗以娱游之地，非神灵所宅，命徙之。杨炎为相，恶京兆尹严郢，左迁大理卿。卢杞欲陷炎，引郢为御史大夫。先是，炎将营家庙，有宅在东都，凭河南尹赵惠伯卖之，惠伯买以为官廨，郢按之，以为有羡利。杞召大理正田晋议法，晋以为：『律，监临官市买有羡利，以乞取论，当夺官。』杞怒，贬晋衡州司马。更召他吏议法，以为：『监主自盗，罪当绞。』炎庙正直萧嵩庙地，杞因谮炎，云『兹地有王气，故玄宗令嵩徙之。炎有异志，故于其地建庙。』冬，十月，乙未，炎自左仆射贬崖州司马。遣中使护送，未至崖州百里，缢杀之。惠伯自河中尹贬费州多田尉。寻亦杀之。

辛丑，册太子妃萧氏。

癸卯，祫太庙。先是，太祖既正东向之位，献、懿二祖皆藏西夹室，不飨。至是，复奉献祖东向而飨之。

徐州刺史李洧，正己之从父兄也。李纳寇宋州，彭城令太原白季庚说洧举州归国。洧从之，遣摄巡官崔程奉表诣阙，且使口奏，并白宰相，以『徐州不能独抗纳，乞领徐、海、沂三州观察使，况海、沂二州，今皆为纳有。洧与刺史王涉、马万通素有约，苟得朝廷诏书，必能成功。』程自外来，以为宰相一也，先白张镒，镒以告卢杞。杞怒其不先白己，不从其请。戊申，加洧御史大夫，充招谕使。

十一月，戊午，以永乐公主适检校比部郎中田华，上不欲违先志故也。

蜀王傀，更名遂。

辛酉，宣武节度使刘洽，神策都知兵马使曲环，滑州刺史襄平李澄，朔方大将唐朝臣，大破淄青、魏博之兵于徐州。

先是，李纳遣其将王温会魏博将信都崇庆共攻徐州，李洧遣牙官温人王智兴诣阙告急。智兴善走，不五日而至。上为之发朔方兵五千人，以朝臣将之，与洽、环、澄共救之。时朔方军资装不至，旗服弊恶。宣武人嗤之曰：『乞子能破贼乎！』朝臣以其言激怒士卒，且曰：『都统有令，先破贼营者，营中物悉与之。』士皆愤怒争奋。

崇庆、温攻彭城，二旬不能下，请益兵于纳。纳遣其将石隐金将万人助之，与刘洽等相拒于七里沟。日向暮，洽引军稍却。朔方马军使杨朝晟言于唐朝臣曰：『公以步兵负山而陈，以待两军。我以骑兵伏于山曲，贼见悬军势孤，必搏之。我以伏兵绝其腰，必败之。』朝臣从之。崇庆等果将骑二千逾桥而西，追击官军，伏兵发，横击之。崇庆等兵中断，狼狈而返，阻桥以拒官军。其兵有争桥不得，涉水而渡者。朝晟指之曰：『彼可涉，吾何为不涉！』遂涉水击，据桥者皆走，崇庆等兵大溃。洽等乘之，斩首八千级，溺死过半。朔方军士尽得其辎重，旗服鲜华，乃谓宣武人曰：『乞子之功，孰与宋多？』宣武人皆惭。官军乘胜逐北，至徐州城下，魏博、淄青军解围走，江、淮漕运始通。

己巳，诏削李惟岳官爵，募所部降者，赦而赏之。

甲申，淮南节度使陈少游遣兵击海州，其刺史王涉以州降。

十二月，李纳密州刺史马万通乞降；丁酉，以为密州刺史。

崔汉衡至吐蕃，赞普以敕书称贡献及赐，全以臣礼见处。又，云州之西，当以贺兰山为境，邀汉衡更请之。丁未，汉衡遣判官与吐蕃使者入奏。上为之改敕书、境土，皆如其请。

加马燧魏博招讨使。

三年（壬戌，公元七八二年）

春，正月，河阳节度使李艽引兵逼卫州，田悦守将任履虚诈降，既而复叛。

马燧等诸军屯于漳滨。田悦遣其将王光进筑月城以守长桥，诸军不得渡。燧以铁锁连车数百乘，实以土囊，塞其下流，水浅，诸军涉渡。时军中乏粮，悦等深壁不战。燧命诸军持十日粮，进屯仓口，与悦夹洹水而军。李抱真、李艽问曰：『粮少而深入，何也？』燧曰：『粮少则利速战，今三镇连兵不战，欲以老我师。我若分军击其左右，悦必救之，则我腹背受敌，战必不利。故进军逼悦，所谓攻其所必救也。彼苟出战，必为诸君破之。』乃为三桥逾洹水，日往挑战，悦不出。燧令诸军夜半起食，潜师循洹水直趋魏州，令曰：『贼至，则止为陈。』留百骑击鼓鸣角于营中，仍抱薪持火，俟诸军毕，则止鼓角匿其旁。伺悦军毕渡，焚其桥。军行十里所，悦闻之，帅淄青、成德步骑四万

逾桥掩其后，乘风纵火，鼓噪而进。燧按兵不动，先除其前草莽百步为战场，结陈以待之，募勇士五千馀人为前列。悦军至，火止，气衰，燧纵兵击之，悦军大败。神策、昭义、河阳军小却，见河东军捷，还斗，又破之。追奔至，三桥已焚，悦军乱，赴水溺死不可胜纪，斩首二万馀级，捕虏三千馀人，尸相枕藉三十馀里。

悦收馀兵千馀人走魏州。马燧与李抱真不协，顿兵平邑浮图，迁延不进。悦夜至南郭，大将李长春闭关不纳，以俟官军，久之，天且明，长春乃开门纳之。悦杀长春，婴城拒守。城中士卒不满数千，死者亲戚，号哭满街。悦忧惧，乃持佩刀，乘马立府门外，悉集军民，流涕言曰：「悦不肖，蒙淄青、成德二丈人大恩，不量其力，辄拒朝命，丧败至此，使士大夫肝脑涂地，皆悦之罪也。悦有老母，不能自杀，愿诸公以此刀断悦首，提出城降马仆射，自取富贵，无为与悦俱死也！」因从马上自投地。将士争前抱持悦曰：「尚书举兵徇义，非私己也。一胜一负，兵家之常。某辈累世受恩，何忍闻此！愿奉尚书一战，不胜则以死继之。」悦曰：「诸公不以悦丧败而弃之，悦虽死，敢忘厚意于地下！」乃与诸将各断发，约为兄弟，誓同生死。悉出府库所有及敛富民之财，得百馀万，以赏士卒，众心始定。复召贝州刺史邢曹俊，使之整部伍，缮守备，军势复振。

李纳军于濮阳，为河南军所逼，奔还濮州，征援兵于魏州。田悦遣军使符璘将三百骑送之，璘父令奇谓璘曰：「吾老矣，历观安、史辈叛乱者，今皆安在！田氏能久乎！汝因此弃逆从顺，是汝扬父名于后世也。」啮臂而别。璘遂与其副李瑶帅众降于马燧。悦收族其家，令奇慢骂而死。瑶父再春以博州降，悦从兄昂以洺州降，王光进以长桥降。悦入城旬馀日，马燧等诸军始至城下，攻之，不克。

丙寅，李惟岳遣兵与孟祐守束鹿，朱滔、张孝忠攻拔之，进围深州。惟岳忧惧，掌书记邵真复说惟岳，密为表，先遣弟惟简入朝，然后诛诸将之不从命者，身自入朝，使妻父冀州刺史郑诜权知节度事，以待朝命。惟简既行，孟祐知其谋，密遣告田悦。悦大怒，使衙官扈岌往见惟岳，让之曰：「尚书举兵，正为大夫求旌节耳，非为己也。今大夫乃信邵真之言，遣弟奉表，悉以反逆之罪归尚书，自求雪身，尚书何负于大夫而至此邪！若相为斩邵真，则相待如初；不然，当与大夫绝矣。」判官毕华言于惟岳曰：「田尚书以大夫之故陷身重围，大夫一旦负之，不义甚矣。且魏博、淄青兵强食富，足抗天下，事未可知，奈何遽为二三之计乎！」惟岳素怯，不能守前计，乃引邵真，对扈岌斩之。发成德兵万人，与孟祐俱围束鹿。丙寅，朱滔、张孝忠与战于束鹿城下，惟岳大败，烧营而遁。兵马使王武俊为左右所构，惟岳疑之，惜其才，未忍除也。束鹿之战，

使武俊为前锋，私自谋曰：『我破朱滔，则惟岳军势大振，归，杀我必矣。』故战不甚力而败。

朱滔欲乘胜攻恒州，张孝忠引军西北，军于义丰。滔大惊，孝忠将佐皆怪之，孝忠曰：『恒州宿将尚多，未易可轻。迫之则并力死斗，缓之则自相图。诸君第观之，吾军义丰，坐待惟岳之殄灭耳。且朱司徒言大而识浅，可与共始，难与共终也！』于是滔亦屯束鹿，不敢进。

惟岳将康日知以赵州归国，惟岳益疑王武俊，武俊甚惧。或谓惟岳曰：『先相公委腹心于武俊，使之辅佐大夫，又有骨肉之亲。武俊勇冠三军，今危难之际，复加猜阻。若无武俊，欲使谁为大夫却敌乎！』惟岳以为然，乃使步军使卫常宁与武俊共击赵州，又使王士真将兵宿府中以自卫。

癸未，蜀王遂更名溯。

淮南节度使陈少游拔海、密二州，李纳复攻陷之。

王武俊既出恒州，谓卫常宁曰：『武俊今幸出虎口，不复归矣！当北归张尚书。』常宁曰：『大夫暗弱，信任左右，观其势终为朱滔所灭。今天子有诏，得大夫首者，以其官爵与之。中丞素为众所服，与其出亡，曷若倒戈以取大夫，转祸为福，特反掌耳。事苟不捷，归张尚书，未晚也。』武俊深以为然。会惟岳使要藉谢遵至赵州城下，武俊引遵同谋取惟岳。遵还，密告王士真。闰月，甲辰，武俊、常宁自赵州引兵还袭惟岳。遵与士真矫惟岳命，启城门纳之。黎明，武俊帅数百骑突入府门。士真应之于内，杀十馀人。武俊令曰：『大夫叛逆，将士归顺，敢违拒者族！』众莫敢动。遂执惟岳，收郑诜、毕华、王它奴等，皆杀之。武俊以惟岳旧使之子，欲生送之长安。常宁曰：『彼见天子，将复以叛逆之罪归咎于中丞。』乃缢杀之，传首京师。深州刺史杨荣国，惟岳姊夫也，降于朱滔，滔使复其位。

复榷天下酒，惟西京不榷。

二月，戊午，李惟岳所署定州刺史杨政义降。时河北略定，惟魏州未下。河南诸军攻李纳于濮州，纳势日蹙。朝廷谓天下不日可平。甲子，以张孝忠为易、定、沧三州节度使，王武俊为恒冀都团练观察使，康日知为深赵都团练观察使，以德、棣二州隶朱滔，令还镇。滔固请深州，不许，由是怨望，留屯深州。王武俊素轻张孝忠，自以手诛李惟岳，功在康日知上，而孝忠为节度使，己与康日知俱为都团练使，又失赵、定二州，亦不悦。又诏以粮三千石给朱滔，马五百匹给马燧。武俊以为朝廷不欲使故人为节度使，魏博既下，必取恒冀，故先分其粮马以弱之，疑，未肯奉诏。

田悦闻之，遣判官王侑、许士则间道至深州，说朱滔曰：『司徒奉诏讨李惟岳，旬朔之间，拔束鹿，下深州，惟岳势蹙，故王大夫因司徒胜势，得以枭惟岳之首，此皆司徒之功也。又天子明下诏书，令司徒得惟岳城邑，皆隶本镇。今乃割深州以与日知，是自弃其信也。且今上志欲扫清河朔，不使藩镇承袭，将悉以文臣代武臣。魏亡，则燕、赵为之次矣；若魏存，则燕、赵无患。然则司徒果有意矜魏博之危而救之，非徒得存亡继绝之义，亦子孙万世之利也。』又许以贝州赂滔。滔素有异志，闻之，大喜，即遣王侑归报魏州，使将士知有外援，各自坚。又遣判官王郅与许士则俱诣恒州，说王武俊曰：『大夫出万死之计，诛逆首，拔乱根，康日知不出赵州，岂得与大夫同日论功！而朝廷褒赏略同，谁不为大夫愤邑者！今又闻有诏支粮马与邻道，朝廷之意，盖以大夫善战无敌，恐为后患，先欲贫弱军府，俟平魏之日，使马仆射北首，朱司徒南向，共相灭耳。朱司徒亦不敢自保，使郅等效愚计，欲与大夫共救田尚书而存之。大夫自留粮马以供军；朱司徒不欲以深州与康日知，愿以与大夫，请早定刺史以守之。三镇连兵，若耳目手足之相救，则他日永无患矣！』武俊亦喜，许诺，即遣判官王巨源使于滔，且令知深州事，相与刻日举兵南向。滔又遣人说张孝忠，孝忠不从。

宣武节度使刘洽攻李纳于濮州，克其外城。纳于城上涕泣求自新，李勉又遣人说之。癸卯，纳遣其判官房说以其母弟经及子成务入见。会中使宋凤朝称纳势穷蹙，不可舍，上乃囚说等于禁中，纳遂归郓州，复与田悦等合。朝廷以纳势未衰，三月，乙未，始以徐州刺史李洧兼徐、海、沂都团练观察使，海、沂已为纳所据，洧竟无所得。

李纳之初反也，其所署德州刺史李西华备守甚严，都虞候李士真密毁西华于纳，纳召西华还府，以士真代之。士真又以诈召棣州刺史李长卿，长卿过德州，士真劫之，与同归国。夏，四月，戊午，以士真、长卿为二州刺史。士真求援于朱滔，滔已有异志，遣大将李济时将三千人声言助士真守德州，且召士真诣深州议军事，至则留之，使济时领州事。

庚申，吐蕃归向日所俘掠兵民八百人。

上遣中使发卢龙、恒冀、易定兵万人诣魏州讨田悦。王武俊不受诏，执使者送朱滔。滔言于众曰：『将士有功者，吾奏求官勋，皆不遂。今欲与诸君敕装共趋魏州，击破马燧以取温饱，何如？』皆不应。三问，乃曰：『幽州之人，自安、史之反，从而南者无一人得还，今其遗人痛入骨髓。况太尉、司徒皆受国宠荣，将士亦各蒙官勋，诚且愿保目前，不敢复有侥冀。』滔默然而罢。乃诛大将数十人，厚抚循其士卒。康日知闻其谋，以告马燧，燧以闻。上以魏州未下，王武俊复叛，力未能制滔。壬戌，赐滔爵通

义郡王，冀以安之。滔反谋益甚，分兵营于赵州以逼康日知，以深州授王巨源。武俊以其子士真为恒、冀、深三州留后，将兵围赵州。

涿州刺史刘怦与滔同县人，其母，滔之姑也，滔使知幽州留后，闻滔欲救田悦，以书谏之曰：『今昌平故里，朝廷改为太尉乡、司徒里，此亦丈夫不朽之名也。但以忠顺自持，则事无不济。窃思近日务大乐战，不顾成败而家灭身屠者，安、史是也。怦忝密亲，默而无告，是负重知。惟司徒图之，无贻后悔。』滔虽不用其言，亦嘉其尽忠，卒无疑贰。

滔将起兵，恐张孝忠为后患，复遣牙官蔡雄往说之。孝忠曰：『昔者司徒发幽州，遣人语孝忠曰：「李惟岳负恩为逆」，谓孝忠归国即为忠臣。孝忠性直，用司徒之教。今既为忠臣矣，不复助逆也。且孝忠与武俊皆出夷落，深知其心最喜翻覆。司徒勿忘鄙言，他日必相念矣！』雄复欲以巧辞说之，孝忠怒，欲执送京师。雄惧，逃归。滔乃使刘怦将兵屯要害以备之。孝忠完城砺兵，独居强寇之间，莫之能屈。滔将步骑二万五千发深州，至束鹿。诘旦将行，吹角未毕，士卒忽大乱，喧噪曰：『天子令司徒归幽州，奈何违敕南救田悦！』滔大惧，走入驿后堂避匿。蔡雄与兵马使宗项等矫谓士卒曰：『汝辈勿喧，听司徒传令。』众稍止。雄又曰：『司徒将发范阳，恩旨令得李惟岳州县即有之，司徒以幽州少丝纩，故与汝曹竭力血战以取深州，冀得其丝纩以宽汝曹赋率，不意国家无信，复以深州与康日知。又，朝廷以汝曹有功，赐绢人十匹，至魏州西境，尽为马仆射所夺。司徒但处范阳，富贵足矣，今兹南行，乃为汝曹，非自为也。汝曹不欲南行，任自归北，何用喧悖，乖失军礼！』众闻言，不知所为，乃曰：『敕使何得不为军士守护赏物！』遂入敕使院，擘裂杀之。又呼曰：『虽知司徒此行为士卒，终不如且奉诏归镇。』雄曰：『然则汝曹各还部伍，休息数日，相与归镇耳。』众然后定。滔即引军还深州，密令诸将访察唱率为乱者，得二百馀人，悉斩之，馀众股栗。乃复举兵而南，众莫敢前却。进，取宁晋，留屯以待王武俊。武俊将步骑万五千取元氏，东趣宁晋。

武俊之始诛李惟岳也，遣判官孟华入见。上问以河朔利害，华性忠直，有才略，应对慷慨。上悦，以为恒冀团练副使。会武俊与朱滔有异谋，上遽遣华归谕旨。华至，武俊已出师，华谏曰：『圣意于大夫甚厚，苟尽忠义，何患官爵之不崇，土地之不广，不日天子必移康中丞于他镇，深、赵终为大夫之有，何苦遽自同于逆乱乎！异日无成，悔之何及！』华向在李宝臣幕府，以直道已为同列所忌，至是为副使，同列尤疾之，言于武俊曰：『华以军中阴事奏天子，请为内应，故得超迁。是将覆大夫之军，大夫宜备

之。』武俊以其旧人，不忍杀，夺职，使归私第。

田悦恃援兵将至，遣其将康愔将万馀人出城西，与马燧等战于御河上，大败而还。

时两河用兵，月费百馀万缗，府库不支数月。太常博士韦都宾、陈京建议，以为：『货利所聚，皆在富商，请括富商钱，出万缗者，借其馀以供军。计天下不过借一二千商，则数年之用足矣。』上从之。甲子，诏借商人钱，令度支条上。判度支杜佑大索长安中商贾所有货，意其不实，辄加搒捶。帛粟麦者，皆借四分之一，封其柜窖。百姓为之罢市，相帅遮宰相马自诉，以千万数。卢杞始慰谕之，势不可遏，乃疾驱自他道归。计并借商所得，才二百万缗，人已竭矣。京，叔明之五世孙也。

甲戌，以昭义节度副使、磁州刺史卢玄卿为洺州刺史兼魏博招讨副使。

初，李抱真为泽潞节度使，马燧领河阳三城。抱真欲杀怀州刺史杨钵，钵奔燧。燧纳之，且奏其无罪，抱真怒。及同讨田悦，数以事相恨望，二人怨隙遂深，不复相见。由是诸军逗挠，久无成功，上数遣中使和解之。及王武俊逼赵州，抱真分麾下二千人戍邢州，燧大怒曰：『馀贼未除，宜相与戮力，乃分兵自守其地，我宁得独战邪！』欲引兵归。李晟说燧曰：『李尚书以邢、赵连壤，分兵守之，诚未有害。今公遽自引去，众谓公何！』燧悦，乃单骑造抱真垒，相与释憾结欢。会洺州刺史田昂请入朝，燧奏以洺州隶抱真，请玄卿为刺史，兼充招讨之副。李晟军先隶抱真，又请兼隶燧，以示协和。上皆从之。

卢龙节度行军司马蔡廷玉恶判官郑云逵，言于朱泚，奏贬莫州参军。云逵妻，朱滔之女也，滔复奏为掌书记。云逵深构廷玉于滔，廷玉又与检校大理少卿朱体微言于泚曰：『滔在幽镇，事多专擅，其性非长者，不可以兵权付之。』滔知之，大怒，数与泚书，请杀二人者，泚不从。由是兄弟颇有隙。及滔拒命，上欲归罪于廷玉等以悦滔，甲子，贬廷玉柳州司户，体微万州南浦尉。

宣武节度使刘洽攻李纳之濮阳，降其守将高彦昭。

朱滔遣人以蜡书置髻中遗朱泚，欲与同反。马燧获之，并使者送长安，泚不之知。上驿召泚于凤翔，至，以蜡书并使者示之，泚惶恐顿首请罪。上曰：『相去千里，初不同谋，非卿之罪也。』因留之长安私第，赐名园、腴田、锦彩、金银甚厚，以安其意；其幽州、卢龙节度、太尉、中书令并如故。

上以幽州兵在凤翔，思得重臣代之。卢杞忌张镒忠直，为上所重，欲出之于外，己得专总朝政，乃对曰：『朱泚名位素崇，凤翔将校班秩已高，非宰相信臣，无以镇抚，臣请自行。』上俯首未言，杞又曰：『陛下必以臣貌寝，不为三军所伏，固惟陛下神

算。」上乃顾镒曰：「才兼文武，望重内外，无以易卿。」镒知为杞所排而无辞以免，因再拜受命。戊寅，以镒兼凤翔尹、陇右节度等使。

初，卢杞与御史大夫严郢共构杨炎、赵惠伯之狱，炎死，杞复忌郢。会蔡廷玉等贬官，殿中侍御史郑詹误递文符至昭应送之，廷玉等行已至蓝田，召还而东，廷玉等以为执己送朱滔，至灵宝西，赴河死。上闻之，骇异，卢杞因奏：「朱泚必疑以为诏旨，请遣三司使案詹。」又言：「御史所为，必禀大夫，请并郢案之。」狱未具，壬午，杞奏杖杀詹于京兆府；贬郢费州刺史，卒于贬所。

上初即位，崔祐甫为相，务崇宽大，故当时政声蔼然，以为有贞观之风。及卢杞为相，知上性多忌，因以疑似离间群臣，始劝上以严刻御下，中外失望。

淮南节度使陈少游奏，本道税钱每千请增二百。五月，丙戌，诏增他道税钱皆如淮南；又盐每斗价皆增百钱。

朱滔、王武俊自宁晋南救魏州，辛卯，诏朔方节度使李怀光将朔方及神策步骑万五千人东讨田悦，且拒滔等。滔行至宗城，掌书记郑云逵、参谋田景仙弃滔来降。

丁酉，加河东节度使马燧同平章事。

辛亥，置义武军节度于定州，以易、定、沧三州隶之。

张光晟之杀突董也，上欲遂绝回纥，召册可汗使源休还太原。久之，乃复遣休送突董及翳密施、大、小梅录等四丧还其国，可汗遣其宰相颉子思迦等迎之。颉子思迦坐大帐，立休等于帐前雪中，诘以杀突董之状，欲杀者数四，供待甚薄。留五十馀日，乃得归。可汗使人谓之曰：「国人皆欲杀汝以偿怨，我意则不然。汝国已杀突董等，我又杀汝，如以血洗血，污益甚耳！今吾以水洗血，不亦善乎！唐负我马直绢百八十万匹，当速归之。」遣其散支将军康赤心随休入见，休竟不得见可汗而还。六月，己卯，至长安，诏以帛十万匹、金银十万两偿其马直。休有口辩，卢杞恐其见上得幸，乘其未至，先除光禄卿。

朱滔、王武俊军至魏州，田悦具牛酒出迎，魏人欢呼动地。滔营于惬山，是日，李怀光军亦至，马燧等盛军容迎之。滔以为袭己，遽出陈。怀光勇而无谋，欲乘其营垒未就击之。燧请且休将士，观衅而动，怀光曰：「彼营垒既立，将为后患，此时不可失也。」遂击滔于惬山之西，杀步卒千馀人，滔军崩沮。怀光按辔观之，有喜色。士卒争入滔营取宝货，王武俊引二千骑横冲怀光军，军分为二。滔引兵继之，官军大败，蹙入永济渠溺死者不可胜数，人相蹈藉，其积如山，水为之不流，马燧等各收军保垒。是夕，滔等堰永济渠入王莽故河，绝官军粮道及归路。明日，水深三尺馀。马燧惧，遣使

卑辞谢滔，求与诸节度归本道，奏天子，请以河北事委五郎处之。滔欲许之，王武俊以为不可。滔不从。秋七月，燧与诸军涉水而西，退保魏县以拒滔，滔乃谢武俊，武俊由是恨滔。后数日，滔等亦引兵营魏县东南，与官军隔水相拒。

李纳求援于滔等，滔遣魏博兵马使信都承庆将兵助之。纳攻宋州，不克，遣兵马使李克信、李钦遥戍濮阳、南华以拒刘洽。

甲辰，以淮宁节度使李希烈兼平卢、淄青、兖郓、登莱、齐州节度使，讨李纳。又以河东节度使马燧兼魏博、澶相节度使。加朔方、邠宁节度使李怀光同平章事。

神策行营招讨使李晟请以所将兵北解赵州之围，与张孝忠合势图范阳，上许之，晟自魏州引兵北趋赵州，王士真解围去。晟留赵州三日，与孝忠合兵北略恒州。

演州司马李孟秋举兵反，自称安南节度使。安南都护辅良交讨斩之。

八月，丁未，置汴东、西水陆运、两税、盐铁使二人，度支总其大要而已。

辛酉，以泾原留后姚令言为节度使。

卢杞恶太子太师颜真卿，欲出之于外。真卿谓杞曰：『先中丞传首至平原，真卿以舌舐面血。今相公忍不相容乎！』杞矍然起拜，然恨之益甚。

九月，癸卯，殿中少监崔汉衡自吐蕃归，赞普遣其臣区颊赞随汉衡入见。

冬，十月，辛亥，以湖南观察使曹王皋为江南西道节度使。皋至洪州，悉集将佐，简阅其才，得牙将伊慎、王锷等，擢为大将，引荆襄判官许孟容置幕府。慎，兖州人；孟容，长安人也。慎常从李希烈讨梁崇义，希烈爱其才，欲留之，慎逃归。希烈闻皋用慎，恐为己患，遗慎七属甲，诈为复书，坠之境上。上闻之，遣中使即军中斩慎，皋为之论雪；未报。会江贼三千馀众入寇，皋遣慎击贼自赎；慎击破之，斩首数百级而还，由是得免。

卢杞秉政，知上必更立相，恐其分己权，乘间荐吏部侍郎关播儒厚，可以镇风俗。丙辰，以播为中书侍郎、同平章事。政事皆决于杞，播等敛衽无所可否。上尝从容与宰相论事，播意有所不可，起立欲言，杞目之而止。还至中书，杞谓播曰：『以足下端悫少言，故相引至此，向者奈何发口欲言邪！』播自是不复敢言。

戊辰，遣都官员外郎河中樊泽使于吐蕃，告以结盟之期。

丙子，肃王详薨。

十一月，己卯朔，加淮南节度使陈少游同平章事。

田悦德朱滔之救，与王武俊议奉滔为主，称臣事之，滔不可，曰：『恒山之捷，皆大夫二兄之力，滔何敢独居尊位！』于是幽州判官李子千、恒冀判官郑濡等共议：『请

与郓州李大夫为四国，俱称王而不改年号，如昔诸侯奉周家正朔。筑坛同盟，有不如约者，众共伐之。不然，岂得常为叛臣，茫然无主，用兵既无名，有功无官爵为赏，使将吏何所依归乎！」滔等皆以为然。滔乃自称冀王，田悦称魏王，王武俊称赵王，仍请李纳称齐王。是日，滔等筑坛于军中，告天而受之。滔为盟主，称孤；武俊、悦、纳称寡人。所居堂曰殿，处分曰令，群下上书曰笺，妻曰妃，长子曰世子。各以其所治州为府，置留守兼元帅，以军政委之；又置东西曹，视门下、中书省；左右内史，视侍中、中书令；馀官皆仿天朝而易其名。

武俊以孟华为司礼尚书，华竟不受，呕血死。以兵马使卫常宁为内史监，委以军事。常宁谋杀武俊，武俊腰斩之。武俊遣其将张终葵寇赵州，康日知击斩之。

李希烈帅所部兵三万徙镇许州，遣所亲诣李纳，与谋共袭汴州。遣使告李勉，云已兼领淄青，欲假道之官。勉为之治桥、具馔以待之，而严为之备。希烈竟不至，又密与朱滔等交通，纳亦数遣游兵渡汴以迎希烈。由是东南转输者皆不敢由汴渠，自蔡水而上。

十二月，丁丑，李希烈自称天下都元帅、太尉、建兴王。时朱滔等与官军相拒累月，官军有度支馈粮，诸道益兵，而滔与王武俊孤军深入，专仰给于田悦，客主日益困弊。闻李希烈军势甚盛，颇怨望，乃相与谋遣使诣许州，劝希烈称帝，希烈由是自称天下都元帅。

司天少监徐承嗣请更造《建中正元历》；从之。

资治通鉴卷第二百二十八

唐纪四十四 起昭阳大渊献正月，尽十月，不满一年。

德宗神武圣文皇帝三

建中四年（癸亥，公元七八三年）

春，正月，丁亥，陇右节度使张镒与吐蕃尚结赞盟于清水。

庚寅，李希烈遣其将李克诚袭陷汝州，执别驾李元平。元平，本湖南判官，薄有才艺，性疏傲，敢大言，好论兵。中书侍郎关播奇之，荐于上，以为将相之器，以汝州距许州最近，擢元平为汝州别驾，知州事。元平至汝州，即募工徒治城。希烈阴使壮士应募执役，入数百人，元平不之觉。希烈遣克诚将数百骑突至城下，应募者应之于内，缚元平驰去。元平为人眇小，无须，见希烈恐惧，便液污地。希烈骂之曰：『盲宰相以汝当我，何相轻也！』以判官周晃为汝州刺史，又遣别将董待名等四出抄掠，取尉氏，围郑州，官军数为所败。逻骑西至彭婆，东都士民震骇，窜匿山谷。留守郑叔则入保西苑。

上问计于卢杞，对曰：『希烈年少骁将，恃功骄慢，将佐莫敢谏止。诚得儒雅重臣，奉宣圣泽，为陈逆顺祸福，希烈必革心悔过，可不劳军旅而服。颜真卿三朝旧臣，忠直刚决，名重海内，人所信服，真其人也！』上以为然。甲午，命真卿诣许州宣慰希烈。诏下，举朝失色。真卿乘驿至东都，郑叔则曰：『往必不免，宜少留，须后命。』真卿曰：『君命也，将焉避之！』遂行。李勉表言：『失一元老，为国家羞，请留之。』又使人邀真卿于道，不及。真卿与其子书，但敕以『奉家庙，抚诸孤』而已。至许州，欲宣诏旨，希烈使其养子千馀人环绕慢骂，拔刃拟之，为将剸啖之势。真卿足不移，色不变。希烈遽以身蔽之，麾众令退，馆真卿而礼之。希烈欲遣真卿还，会李元平在座，真卿责之，元平惭而起，以密启白希烈。希烈意遂变，留真卿不遣。

朱滔、王武俊、田悦、李纳各遣使诣希烈，上表称臣，劝进。使者拜舞于希烈前，说希烈曰：『朝廷诛灭功臣，失信天下。都统英武自天，功烈盖世，已为朝廷所猜忌，将有韩、白之祸，愿亟称尊号，使四海臣民知有所归。』希烈召颜真卿示之曰：『今四王遣使见推，不谋而同，太师观此事势，岂吾独为朝廷所忌无所自容邪！』真卿曰：『此乃四凶，何谓四王！相公不自保功业，为唐忠臣，乃与乱臣贼子相从，求与之同覆灭邪！』希烈不悦，扶真卿出。他日，又与四使同宴，四使曰：『久闻太师重望，今都统将称大号而太师适至，是天以宰相赐都统也。』真卿叱之曰：『何谓宰相！汝知有骂安禄山而死者颜杲卿乎？乃吾兄也。吾年八十，知守节而死耳，岂受汝辈诱胁乎！』四

使不敢复言。希烈乃使甲士十人守真卿于馆舍，掘坎于庭，云欲坑之。真卿怡然，见希烈曰：「死生已定，何必多端！亟以一剑相与，岂不快公心事邪！」希烈乃谢之。

戊戌，以左龙武大将军哥舒曜为东都、汝州节度使，将凤翔、邠宁、泾原、奉天、好畤行营兵万馀人讨希烈，又诏诸道共讨之。曜行至郏城，遇希烈前锋将陈利贞，击破之。希烈势小沮。曜，翰之子也。

希烈使其将封有麟据邓州，南路遂绝，贡献、商旅皆不通。壬寅，诏治上津山路，置邮驿。

二月，戊申朔，命鸿胪卿崔汉衡送区颊赞还吐蕃。

丙寅，以河阳三城、怀、卫州为河阳军。

丁卯，哥舒曜克汝州，擒周晃。

三月，戊寅，江西节度使曹王皋败李希烈将韩霜露于黄梅，斩之。辛卯，拔黄州。时希烈兵栅蔡山，险不可攻。皋声言西取蕲州，引舟师溯江而上，希烈之将引兵循江随战。去蔡山三百馀里，皋乃复放舟顺流而下，急攻蔡山，拔之。希烈兵还救之，不及而败。皋遂进拔蕲州，表伊慎为蕲州刺史，王锷为江州刺史。

淮宁都虞侯周曾、镇遏兵马使王玢、押牙姚憺、韦清密输款于李勉。李希烈遣曾与十将康秀琳将兵三万攻哥舒曜，至襄城，曾等密谋还军袭希烈，奉颜真卿为节度使，使玢、憺、清为内应。希烈知之，遣别将李克诚将骡军三千人袭曾等，杀之，并杀玢、憺及其党。甲午，诏赠曾等官。始，韦清与曾等约，事泄不相引，故独得免。清恐终及祸，说希烈请诣朱滔乞师，希烈遣之，行至襄邑，逃奔刘洽。希烈闻周曾等有变，闭壁数日。其党寇尉氏、郑州者闻之，亦遁归。希烈乃上表归咎于周曾等，引兵还蔡州，外示悔过从顺，实待朱滔等之援也。置颜真卿于龙兴寺。丁酉，荆南节度使张伯仪与淮宁兵战于安州，官军大败，伯仪仅以身免，亡其所持节。希烈使人以其节及俘馘示颜真卿。真卿号恸投地，绝而复苏，自是不复与人言。

夏，四月，上以神策军使白志贞为京城召募使，募禁兵以讨李希烈。志贞请诸尝为节度、观察、都团练使者，不问存没，并勒其子弟帅奴马自备资装从军，授以五品官。贫者甚苦之，人心始摇。

上命宰相、尚书与吐蕃区颊赞盟于丰邑里，区颊赞以清水之盟，疆场未定，不果盟。己未，命崔汉衡入吐蕃，决于赞普。

庚申，加永平、宣武、河阳都统李勉淮西招讨使，东都、汝州节度使哥舒曜为之副，以荆南节度使张伯仪为淮西应援招讨使，山南东道节度使贾耽、江西节度使曹王皋

为之副。上督哥舒曜进兵，曜至颍桥，遇大雨，还保襄城。李希烈遣其将李光辉攻襄城，曜击却之。

五月，乙酉，颍王璬薨。

乙未，以宣武节度使刘洽兼淄青招讨使。

李晟谋取涿、莫二州，以绝幽、魏往来之路，与张孝忠之子升云围朱滔所署易州刺史郑景济于清苑，累月不下。滔以其司武尚书马寔为留守，将步骑万馀守魏营，自将步骑万五千救清苑。李晟军大败，退保易州。滔还军瀛州，张升云奔满城。会晟病甚，引军还保定州。

王武俊以滔既破李晟，留屯瀛州，未还魏桥，遣其给事中宋端趣之。端见滔，言颇不逊，滔怒，使谓武俊曰：『滔以热疾，暂未南还，大王二兄遽有云云。滔以救魏博之故，叛君弃兄，如脱屣耳。二兄必相疑，惟二兄所为！』端还报，武俊自辨于马寔，寔以状白滔，言：『赵王知宋端无礼于大王，深加责让，实无他志。』武俊亦遣承令官郑和随寔使者见滔，谢之。滔乃悦，相待如初。然武俊以是益恨滔矣。

六月，李抱真使参谋贾林诣武俊壁诈降。武俊见之。林曰：『林来奉诏，非降也。』武俊色动，问其故，林曰：『天子知大夫宿著诚效，及登坛之日，抚膺顾左右曰：「我本徇忠义，天子不察。」诸将亦尝共表大夫之志。天子语使者曰：「朕前事诚误，悔之无及。朋友失意，尚可谢，况朕为四海之主乎。」』武俊曰：『仆胡人也，为将尚知爱百姓，况天子，岂专以杀人为事乎！今山东连兵，暴骨如莽，就使克捷，与谁守之！仆不惮归国，但已与诸镇结盟。胡人性直，不欲使曲在己。天子诚能下诏赦诸镇之罪，仆当首唱从化。诸镇有不从者，请奉辞伐之。如此，则上不负天子，下不负同列，不过五旬，河朔定矣。』使林还报抱真，阴相约结。

庚戌，初行税间架、除陌钱法。时河东、泽潞、河阳、朔方四军屯魏县，神策、永平、宣武、淮南、浙西、荆南、江西、沔鄂、湖南、黔中、剑南、岭南诸军环淮宁之境。旧制，诸道军出境，则仰给度支。上优恤士卒，每出境，加给酒肉，本道粮仍给其家。一人兼三人之给，故将士利之。各出军才逾境而止，月费钱百三十馀万缗，常赋不能供。判度支赵赞乃奏行二法：所谓税间架者，每屋两架为间，上屋税钱二千，中税千，下税五百，吏执笔握算，入人室庐计其数。或有宅屋多而无他资者，出钱动数百缗。敢匿一间，杖六十，赏告者钱五十缗。所谓除陌钱者，公私给与及卖买，每缗官留五十钱，给他物及相贸易者，约钱为率。敢隐钱百，杖六十，罚钱二千，赏告者钱十缗，其赏钱皆出坐事之家。于是愁怨之声，盈于远近。

丁卯，徙郴王逾为丹王，郿王遘为简王。

庚午，答蕃判官监察御史于頔与吐蕃使者论刺没藏至自青海，言疆场已定，请遣区颊赞归国。秋，七月，甲申，以礼部尚书李揆为入蕃会盟使。壬辰，诏诸将相与区颊赞盟于城西。李揆有才望，卢杞恶之，故使之入吐蕃。揆言于上曰：『臣不惮远行，恐死于道路，不能达诏命！』上为之恻然，谓杞曰：『揆无乃太老！』杞曰：『使远夷，非谙练朝廷故事者不可。且揆行，则自今年少于揆者，不敢辞远使矣。』

八月，丁未，李希烈将兵三万围哥舒曜于襄城，诏李勉及神策将刘德信将兵救之。

乙卯，希烈将曹季昌以随州降，寻复为其将康叔夜所杀。

初，上在东宫，闻监察御史嘉兴陆贽名，即位，召为翰林学士，数问以得失。时两河用兵久不决，赋役日滋，贽以兵穷民困，恐别生内变，乃上奏，其略曰：『克敌之要，在乎将得其人；驭将之方，在乎操得其柄。将非其人者，兵虽众不足恃；操失其柄者，将虽材不为用。』又曰：『将不能使兵，国不能驭将，非止费财玩寇之弊，亦有不戢自焚之灾。』又曰：『今两河、淮西为叛乱之帅者，独四五凶人而已。尚恐其中或遭诖误，内蓄危疑。苍黄失图，势不得止。况其馀众，盖并胁从，苟知全生，岂愿为恶！』又曰：『无纾目前之虞，或兴意外之患。人者，邦之本也。财者，人之心也。其心伤则其本伤，其本伤则枝干颠瘁矣。』又曰：『人摇不宁，事变难测，是以兵贵拙速，不贵巧迟。若不靖于本而务救于末，则救之所为，乃祸之所起也。』又论关中形势，以为：『王者蓄威以昭德，偏废则危；居重以驭轻，倒持则悖。王畿者，四方之本也。太宗列置府兵，分隶禁卫，大凡诸府八百馀所，而在关中者殆五百焉。举天下不敌关中之半，则居重驭轻之意明矣。承平渐久，武备浸微，虽府卫具存而卒乘罕习。故禄山窃倒持之柄，乘外重之资，一举滔天，两京不守。尚赖西边有兵，诸牧有马，每州有粮，故肃宗得以中兴。乾元之后，继有外虞，悉师东讨，边备既弛，禁戎亦空，吐蕃乘虚，深入为寇，故先皇帝莫与为御，避之东游。是皆失居重驭轻之权，忘深根固柢之虑。内寇则淆、函失险，外侵则汧、渭为戎。于斯之时，虽有四方之师，宁救一朝之患？陛下追想及此，岂不为之寒心哉！今朔方、太原之众，远在山东；神策六军之兵，继出关外。傥有贼臣啖寇，黠虏觑边，伺隙乘虚，微犯亭障，此愚臣所窃忧也。未审陛下其何以御之！侧闻伐叛之初，议者多易其事，佥谓有征无战，役不逾时，计兵未甚多，度费未甚广，于事为无扰，于人为不劳；曾不料兵连祸拏，变故难测，日引月长，渐乖始图。往岁为天下所患，咸谓除之则可致升平者，李正己、李宝臣、梁崇义、田悦是也。往岁谓国家所信，咸谓任之则可除祸乱者，朱滔、李希烈是也。既而正己死，李纳继之；宝臣

死，惟岳继之；崇义平，希烈叛；惟岳戮，朱滔携。然则往岁之所患者，四去其三矣，而患竟不衰；往岁之所信，今则自叛矣，而馀又难保。是知立国之安危在势，任事之济否在人。势苟安，则异类同心也；势苟危，则舟中敌国也。陛下岂可不追鉴往事，惟新令图，修偏废之柄以靖人，复倒持之权以固国！而乃孜孜汲汲，极思劳神，徇无已之求，望难必之效乎！今关辅之间，征发已甚，宫苑之内，备卫不全。万一将帅之中，又如朱滔、希烈，或负固边垒，诱致豺狼，或窃发郊畿，惊犯城阙，此亦愚臣所窃为忧者也，未审陛下复何以备之！陛下傥过听愚计，所遣神策六军李晟等及节将子弟，悉可追还。明敕泾、陇、邠、宁，但令严备封守，仍云更不征发，使知各保安居。又降德音，罢京城及畿县间架等杂税，则冀已输者弭怨，见处者获宁，人心不摇，邦本自固。』上不能用。

壬戌，以汴西运使崔纵兼魏州四节度都粮料使。纵，涣之子也。

九月，丙戌，神策将刘德信、宣武将唐汉臣与淮宁将李克诚战，败于沪涧。时李勉遣汉臣将兵万人救襄城，上遣德信帅诸将家应募者三千人助之。勉奏：『李希烈精兵皆在襄城，许州空虚，若袭许州，则襄城围自解。』遣二将趣许州，未至数十里，上遣中使责其违诏，二将狼狈而返，无复斥候。克诚伏兵邀之，杀伤大半。汉臣奔大梁，德信奔汝州。希烈游兵剽掠至伊阙。勉复遣其将李坚帅四千人助守东都，希烈以兵绝其后，坚军不得还。汴军由是不振，襄城益危。

上以诸军讨淮宁者不相统壹，庚子，以舒王谟为荆襄等道行营都元帅，更名谊。以户部尚书萧复为长史，右庶子孔巢父为左司马，谏议大夫樊泽为右司马，自馀将佐皆选中外之望。未行，会泾师作乱而止。复，嵩之孙；巢父，孔子三十七世孙也。

上发泾原等诸道兵救襄城。冬，十月，丙午，泾原节度使姚令言将兵五千至京师。军士冒雨，寒甚，多携子弟而来，冀得厚赐遗其家，既至，一无所赐。丁未，发至浐水，诏京兆尹王翃犒师，惟粝食菜啖。众怒，蹴而覆之，因扬言曰：『吾辈将死于敌，而食且不饱，安能以微命拒白刃邪！闻琼林、大盈二库，金帛盈溢，不如相与取之。』乃擐甲张旗鼓噪，还趣京城。令言入辞，尚在禁中，闻之，驰至长乐阪，遇之。军士射令言，令言抱马鬣突入乱兵，呼曰：『诸君失计！东征立功，何患不富贵，乃为族灭之计乎！』军士不听，以兵拥令言而西。上遽命赐帛，人二匹。众益怒，射中使。又命中使宣慰，贼已至通化门外，中使出门，贼杀之。又命出金帛二十车赐之。贼已入城，喧声浩浩，不复可遏。百姓狼狈骇走，贼大呼告之曰：『汝曹勿恐，不夺汝商货僦质矣！不税汝间架陌钱矣！』上遣普王谊、翰林学士姜公辅出慰谕之。贼已陈于丹凤门外，小

民聚观者以万计。

初，神策军使白志贞掌召募禁兵，东征死亡者志贞皆隐不以闻，但受市井富儿赂而补之，名在军籍受给赐，而身居市廛为贩鬻。司农卿段秀实上言：『禁兵不精，其数全少，卒有患难，将何待之！』不听。至是，上召禁兵以御贼，竟无一人至者。贼已斩关而入，上乃与王贵妃、韦淑妃、太子、诸王、唐安公主自苑北门出，王贵妃以传国宝系衣中以从。后宫诸王、公主不及从者什七八。

初，鱼朝恩既诛，宦官不复典兵，有窦文场、霍仙鸣者，尝事上于东宫，至是，帅宦官左右仅百人以从，使普王谊前驱，太子执兵以殿。司农卿郭曙以部曲数十人猎苑中，闻跸，谒道左，遂以其众从。曙，暧之弟也。右龙武军使令狐建方教射于军中，闻之，帅麾下四百人从，乃使建居后为殿。

姜公辅叩马言曰：『朱泚尝为泾帅，坐弟滔之故，废处京师，心尝怏怏。臣谓陛下既不能推心待之，则不如杀之，毋贻后患。今乱兵若奉以为主，则难制矣。请召使从行。』上仓猝不暇用其言，曰：『无及矣！』遂行。夜至咸阳，饭数匕而过。时事出非意，群臣皆不知乘舆所之。卢杞、关播逾中书垣而出。白志贞、王翃及御史大夫于颀、中丞刘从一、户部侍郎赵赞、翰林学士陆贽、吴通微等追及上于咸阳。颀，頔之从父兄弟；从一，齐贤之从孙也。

贼入宫，登含元殿，大呼曰：『天子已出，宜人自求富！』遂欢噪，争入府库，运金帛，极力而止。小民因之，亦入宫盗库物，出而复入，通夕不已。其不能入者，剽夺于路。诸坊居民各相帅自守。姚令言与乱兵谋曰：『今众无主，不能持久，朱太尉闲居私第，请相与奉之。』众许诺。乃遣数百骑迎朱泚于晋昌里第。夜半，泚按辔列炬，传呼入宫，居含元殿，设警严，自称权知六军。戊申旦，泚徙居白华殿，出榜于外，称：『泾原将士久处边陲，不闲朝礼，辄入宫阙，致惊乘舆，西出巡幸。太尉已权临六军，应神策等军士及文武百官凡有禄食者，悉诣行在。不能往者，即诣本司。若出三日，检勘彼此无名者，皆斩！』于是百官出见泚。或劝迎乘舆，泚不悦，百官稍稍遁去。

源休以使回纥还，赏薄，怨朝廷，入见泚，屏人密语移时，为泚陈成败，引符命，劝之僭逆。泚喜，然犹未决。宿卫诸军举白幡降者，列于阙前甚众。泚夜于苑门出兵，旦自通化门入，络绎不绝，张弓露刃，欲以威众。

上思桑道茂之言，自咸阳幸奉天。县僚闻车驾猝至，欲逃匿山谷，主簿苏弁止之。弁，良嗣之兄孙也。文武之臣稍稍继至。己酉，左金吾大将军浑瑊至奉天。瑊素有威望，众心恃之稍安。

庚戌，源休劝朱泚禁十城门，毋得出朝士，朝士往往易服为佣仆潜出。休又为泚说诱文武之士，使之附泚。检校司空、同平章事李忠臣久失兵柄，太仆卿张光晟自负其才，皆郁郁不得志，泚悉起而用之。工部侍郎蒋镇出亡，坠马伤足，为泚所得。先是，休以才能，光晟以节义，镇以清素，都官员外郎彭偃以文学，太常卿敬釭以勇略，皆为时人所重，至是皆为泚用。

凤翔、泾原将张廷芝、段诚谏将数千人救襄城，未出潼关，闻朱泚据长安，杀其大将陇右兵马使戴兰，溃归于泚。泚于是自谓众心所归，谋反遂定，以源休为京兆尹、判度支，李忠臣为皇城使。百司供亿，六军宿卫，咸拟乘舆。

辛亥，以浑瑊为京畿、渭北节度使，行在都虞候白志贞为都知兵马使，令狐建为中军鼓角使，以神策都虞候侯仲庄为左卫将军兼奉天防城使。

朱泚以司农卿段秀实久失兵柄，意其必怏怏，遣数十骑召之。秀实闭门拒之，骑士逾垣入，劫之以兵。秀实自度不免，乃谓子弟曰：『国家有患，吾于何避之，当以死徇社稷；汝曹宜人自求生。』乃往见泚。泚喜曰：『段公来，吾事济矣。』延坐问计。秀实说之曰：『公本以忠义著闻天下，今泾军以犒赐不丰，遽有披猖，使乘舆播越。夫犒赐不丰，有司之过也，天子安得知之！公宜以此开谕将士，示以祸福，奉迎乘舆，复归宫阙，此莫大之功也！』泚默然不悦，然以秀实与己皆为朝廷所废，遂推心委之。左骁卫将军刘海宾、泾原都虞候何明礼、孔目官岐灵岳，皆秀实素所厚也，秀实密与之谋诛泚，迎乘舆。

上初至奉天，诏征近道兵入援。有上言：『朱泚为乱兵所立，且来攻城，宜早修守备。』卢杞切齿言曰：『朱泚忠贞，群臣莫及，奈何言其从乱，伤大臣心！臣请以百口保其不反。』上亦以为然。又闻群臣劝泚奉迎，乃诏诸道援兵至者皆营于三十里外。姜公辅谏曰：『今宿卫单寡，防虑不可不深，若泚竭忠奉迎，何惮于兵多；如其不然，有备无患。』上乃悉召援兵入城。卢杞及白志贞言于上曰：『臣观朱泚心迹，必不至为逆，愿择大臣入京城宣慰以察之。』上以问从臣，皆畏惮，莫敢行。金吾将军吴溆独请行，上悦。溆退而告人曰：『食其禄而违其难，何以为臣！吾幸托肺腑，非不知往必死，但举朝无蹈难之臣，使圣情慊慊耳！』遂奉诏诣泚。泚反谋已决，虽阳为受命，馆溆于客省，寻杀之。溆，凑之兄也。

泚遣泾原兵马使韩旻将锐兵三千，声言迎大驾，实袭奉天。时奉天守备单弱，段秀实谓岐灵岳曰：『事急矣！』使灵岳诈为姚令言符，令旻且还，当与大军俱发。窃令言印未至，秀实倒用司农印印符，募善走者追之。旻至骆驿，得符而还。秀实谓同谋曰：

丁卯，徙郴王逾为丹王，鄜王遘为简王。

庚午，答蕃判官监察御史于頔与吐蕃使者论刺没藏至自青海，言疆场已定，请遣区颊赞归国。秋，七月，甲申，以礼部尚书李揆为入蕃会盟使。壬辰，诏诸将相与区颊赞盟于城西。李揆有才望，卢杞恶之，故使之入吐蕃。揆言于上曰：『臣不惮远行，恐死于道路，不能达诏命！』上为之恻然，谓杞曰：『揆无乃太老！』杞曰：『使远夷，非谙练朝廷故事者不可。且揆行，则自今年少于揆者，不敢辞远使矣。』

八月，丁未，李希烈将兵三万围哥舒曜于襄城，诏李勉及神策将刘德信将兵救之。

乙卯，希烈将曹季昌以随州降，寻复为其将康叔夜所杀。

初，上在东宫，闻监察御史嘉兴陆贽名，即位，召为翰林学士，数问以得失。时两河用兵久不决，赋役日滋，贽以兵穷民困，恐别生内变，乃上奏，其略曰：『克敌之要，在乎将得其人；驭将之方，在乎操得其柄。将非其人者，兵虽众不足恃；操失其柄者，将虽材不为用。』又曰：『将不能使兵，国不能驭将，非止费财玩寇之弊，亦有不戢自焚之灾。』又曰：『今两河、淮西为叛乱之帅者，独四五凶人而已。尚恐其中或遭诖误，内蓄危疑。苍黄失图，势不得止。况其馀众，盖并胁从，苟知全生，岂愿为恶！』又曰：『无纾目前之虞，或兴意外之患。人者，邦之本也。财者，人之心也。其心伤则其本伤，其本伤则枝干颠瘁矣。』又曰：『人摇不宁，事变难测，是以兵贵拙速，不贵巧迟。若不靖于本而务救于末，则救之所为，乃祸之所起也。』又论关中形势，以为：『王者蓄威以昭德，偏废则危；居重以驭轻，倒持则悖。王畿者，四方之本也。太宗列置府兵，分隶禁卫，大凡诸府八百馀所，而在关中者殆五百焉。举天下不敌关中之半，则居重驭轻之意明矣。承平渐久，武备浸微，虽府卫具存而卒乘罕习。故禄山窃倒持之柄，乘外重之资，一举滔天，两京不守。尚赖西边有兵，诸牧有马，每州有粮，故肃宗得以中兴。乾元之后，继有外虞，悉师东讨，边备既弛，禁戎亦空，吐蕃乘虚，深入为寇，故先皇帝莫与为御，避之东游。是皆失居重驭轻之权，忘深根固柢之虑。内寇则淆、函失险，外侵则汧、渭为戎。于斯之时，虽有四方之师，宁救一朝之患？陛下追想及此，岂不为之寒心哉！今朔方、太原之众，远在山东；神策六军之兵，继出关外。傥有贼臣啖寇，黠虏觑边，伺隙乘虚，微犯亭障，此愚臣所窃忧也。未审陛下其何以御之！侧闻伐叛之初，议者多易其事，佥谓有征无战，役不逾时，计兵未甚多，度费未甚广，于事为无扰，于人为不劳；曾不料兵连祸拏，变故难测，日引月长，渐乖始图。往岁为天下所患，咸谓除之则可致升平者，李正己、李宝臣、梁崇义、田悦是也。往岁谓国家所信，咸谓任之则可除祸乱者，朱滔、李希烈是也。既而正己死，李纳继之；宝臣

以诈，如是则下之顾望者自便而切磨之辞不尽矣。上厉威必不能降情以接物，上恣愎必不能引咎以受规，如是则下之畏惧者避辜而情理之说不申矣。夫以区域之广大，生灵之众多，宫阙之重深，高卑之限隔，自黎献而上，获睹至尊之光景者，逾亿兆而无一焉；就获睹之中得接言议者，又千万不一；幸而得接者，犹有九弊居其间，则上下之情所通鲜矣。上情不通于下则人惑，下情不通于上则君疑。疑则不纳其诚，惑则不从其令。诚而不见纳则应之以悖，令而不见从则加之以刑。下悖上刑，不败何待！是使乱多理少，从古以然。』又曰：『昔赵武呐呐而为晋贤臣，绛侯木讷而为汉元辅。然则口给者事或非信，辞屈者理或未穷。人之难知，尧、舜所病，胡可以一酬一诘而谓尽其能哉！以此察天下之情，固多失实，以此轻天下之士，必有遗才。』又曰：『谏者多，表我之能好；谏者直，示我之能容；谏者之狂诬，明我之能恕；谏者之漏泄，彰我之能从。有一于斯，皆为盛德。是则人君与谏者交相益之道也。谏者有爵赏之利，君亦有理安之利；谏者得献替之名，君亦得采纳之名。然犹谏者有失中而君无不美，唯恐谠言之不切，天下之不闻，如此则纳谏之德光矣。』上颇采用其言。

李怀光顿兵不进，数上表暴扬卢杞等罪恶。众论喧腾，亦咎杞等。上不得已，十二月，壬戌，贬杞为新州司马，白志贞为恩州司马，赵赞为播州司马。宦者翟文秀，上所信任也，怀光又言其罪，上亦为杀之。

乙丑，以翰林学士、祠部员外郎陆贽为考功郎中，金部员外郎吴通微为职方郎中。贽上奏，辞以『初到奉天，扈从将吏例加两阶，今翰林独迁官。夫行罚先贵近而后卑远，则令不犯；行赏先卑远而后贵近，则功不遗。望先录大劳，次遍群品，则臣亦不敢独辞。』上不许。

上在奉天，使人说田悦、王武俊、李纳，赦其罪，厚赂以官爵。悦等皆密归款，而犹未敢绝朱滔，各称王如故。滔使其虎牙将军王郅说悦曰：『日者八郎有急，滔与赵王不敢爱其死，竭力赴救，幸而解围。今太尉三兄受命关中，滔欲与回纥共往助之，愿八郎治兵，与滔渡河共取大梁。』悦心不欲行而未忍绝滔，乃许之。滔复遣其内史舍人李琯见悦，审其可否，悦犹豫不决，密召扈崿等议之。司武侍郎许士则曰：『朱滔昔事李怀仙为牙将，与兄泚及朱希彩共杀怀仙而立希彩。希彩所以宠信其兄弟至矣，滔又与判官李子瑗谋杀希彩而立泚。泚既为帅，滔乃劝泚入朝而自为留后，虽劝以忠义，实夺之权也。平生与之同谋共功如李子瑗之徒，负而杀之者二十馀人。今又与泚东西相应，使滔得志，泚亦不为所容，况同盟乎！滔为人如此，大王何从得其肺腑而信之邪！彼引幽陵回纥十万之兵屯于郊坰，大王出迎，则成擒矣。彼囚大王，兼魏国之兵，南向渡河，

资治通鉴卷第二百三十

唐纪四十六 起阏逢困敦二月，尽四月，不满一年。

德宗神武圣文皇帝五

兴元元年（甲子，公元七八四年）

二月，戊申，诏赠段秀实太尉，谥曰忠烈，厚恤其家。时贾隐林已卒，赠左仆射，赏其能直言也。

李希烈将兵五万围宁陵，引水灌之。濮州刺史刘昌以三千人守之。滑州刺史李澄密遣使请降，上许以澄为汴滑节度使。澄犹外事希烈。希烈疑之，遣养子六百人戍白马，召澄共攻宁陵。澄至石柱，使其众阳惊，烧营而遁。又讽养子令剽掠，澄悉收斩之，以白希烈，希烈无以罪也。刘昌守宁陵，凡四十五日不释甲。韩滉遣其将王栖曜将兵助刘洽拒希烈，栖曜以强弩数千游汴水，夜，入宁陵城。明日，从城上射希烈，及其坐幄。希烈惊曰：『宣、润弩手至矣！』遂解围去。

朱泚既自奉天败归，李晟谋取长安。刘德信与晟俱屯东渭桥，不受晟节制。晟因德信至营中，数以沪涧之败及所过剽掠之罪，斩之。因以数骑驰入德信军，劳其众，无敢动者，遂并将之，军势益振。

李怀光既胁朝廷逐卢杞等，内不自安，遂有异志。又恶李晟独当一面，恐其成功，奏请与晟合军。诏许之。晟与怀光会于咸阳西陈涛斜，筑垒未毕，泚众大至，晟谓怀光曰：『贼若固守宫苑，或旷日持久，未易攻取。今去其巢穴，敢出求战，此天以贼赐明公，不可失也！』怀光曰：『军适至，马未秣，士未饭，岂可遽战邪！』晟不得已乃就壁。晟每与怀光同出军，怀光军士多掠人牛马，晟军秋毫不犯。怀光军士恶其异己，分所获与之，晟军终不敢受。怀光屯咸阳累月，逗留不进。上屡遣中使趣之，辞以士卒疲弊，且当休息观衅。诸将数劝之攻长安，怀光不从，密与朱泚通谋，事迹颇露。李晟屡奏，恐其有变，为所并，请移军东渭桥。上犹冀怀光革心，收其力用，寝晟奏不下。怀光欲缓战期，且激怒诸军，奏言：『诸军粮赐薄，神策独厚，厚薄不均，难以进战。』上以财用方窘，若粮赐皆比神策，则无以给之，不然，又逆怀光意，恐诸军觖望。乃遣陆贽诣怀光营宣慰，因召李晟参议其事。怀光意欲晟自乞减损，使失士心，沮败其功，乃曰：『将士战斗同而粮赐异，何以使之协力！』贽未有言，数顾晟。晟曰：『公为元帅，得专号令；晟将一军，受指踪而已。至于增减衣食，公当裁之。』怀光默然，又不欲自减之，遂止。

时上遣崔汉衡诣吐蕃发兵，吐蕃相尚结赞言：『蕃法发兵，以主兵大臣为信。今制

与关中相应，天下其孰能当之！大王于时悔之无及。为之备，厚加迎劳，至则托以他故，遣将分兵而随之，如此，大王外不失报德之名而内无仓猝之忧矣。」扈崿等皆以为然。王武俊闻李瑨适魏，遣其司刑员外郎田秀驰见悦曰：「武俊向以宰相处事失宜，恐祸及身，又八郎困于重围，故与滔合兵救之。今天子方在隐忧，以德绥我，我曹何得不悔过而归之邪！舍九叶天子不事而事泚及滔乎！且泚未称帝之时，滔与我曹比肩为王，固已轻我曹矣。况使之南平汴、洛，与泚连衡，吾属皆为虏矣！八郎慎勿与之俱南，但闭城拒守。武俊请伺其隙，连昭义之兵，击而灭之，与八郎再清河朔，复为节度使，共事天子，不亦善乎！」悦意遂决，绐滔云：「从行，必如前约。」丁卯，滔将范阳步骑五万人，私从者复万馀人，回纥三千人，发河间而南，辎重首尾四十里。

李希烈攻李勉于汴州，驱民运土木，筑垒道，以攻城。忿其未就，并人填之，谓之湿薪。勉城守累月，外救不至，将其众万馀人奔宋州。庚午，希烈陷大梁。滑州刺史李澄以城降希烈，希烈以澄为尚书令兼永平节度使。勉上表请罪，上谓其使者曰：「朕犹失守宗庙，勉宜自安。」待之如初。

刘洽遣其将高翼将精兵五千保襄邑，希烈攻拔之，翼赴水死。希烈乘胜攻宁陵，江、淮大震。陈少游遣参谋温述送款于希烈曰：「濠、寿、舒、庐，已令弛备，韬戈卷甲，伏俟指麾。」又遣巡官赵诜结李纳于郓州。

中书侍郎、同平章事关播罢为刑部尚书。

以给事中孔巢父为淄青宣慰使，国子祭酒董晋为河北宣慰使。

陆贽言于上曰：「今盗遍天下，舆驾播迁，陛下宜痛自引过以感人心。昔成汤以罪己勃兴，楚昭以善言复国。陛下诚能不吝改过，以言谢天下，使书诏无所避忌，臣虽愚陋，可以仰副圣情，庶令反侧之徒革心向化。」上然之，故奉天所下书诏，虽骄将悍卒闻之，无不感激挥涕。

术者上言：「国家厄运，宜有变更以应时数。」群臣请更加尊号一二字。上以问贽，贽上奏，以为不可，其略曰：「尊号之兴，本非古制。行于安泰之日，已累谦冲，袭乎丧乱之时，尤伤事体。」又曰：「嬴秦德衰，兼皇与帝，始总称之。流及后代，昏僻之君，乃有圣刘、天元之号。是知人主轻重，不在名称。损之有谦光稽古之善，崇之获矜能纳谄之讥。」又曰：「必也俯稽术数，须有变更，与其增美称而失人心，不若黜旧号以祗天戒。」上纳其言，但改年号而已。上又以中书所撰赦文示贽，贽上言，以为：「动人以言，所感已浅，言又不切，人谁肯怀！今兹德音，悔过之意不得不深，引

卿曰：『不能屈节，当自焚！』积薪灌油于其庭。真卿趋赴火，景臻遽止之。

希烈又遣其将杨峰赍赦赐陈少游及寿州刺史张建封。建封执峰徇于军，腰斩于市，少游闻之骇惧。建封具以少游与希烈交通之状闻，上悦，以建封为濠、寿、庐三州都团练使。希烈乃以其将杜少诚为淮南节度使，使将步骑万馀人先取寿州，后之江都，建封遣其将贺兰元均、邵怡守霍丘秋栅。少诚竟不能过，遂南寇蕲、黄，欲断江路，时上命包佶自督江、淮财赋，溯江诣行在。至蕲口，遇少诚入寇。曹王皋遣蕲州刺史伊慎将兵七千拒之，战于永安戍，大破之，少诚脱身走，斩首万级，包佶乃得前。后佶入朝，具奏陈少游夺财赋事。少游惧，厚敛所部以偿之。李希烈以夏口上流要地，使其骁将董侍募死士七千人袭鄂州，刺史李兼偃旗卧鼓闭门以待之。侍撤屋材以焚门，兼帅士卒出战，大破之。上以兼为鄂、岳、沔都团练使。于是希烈东畏曹王皋，西畏李兼，不敢复有窥江、淮之志矣。

朱滔引兵入赵境，王武俊大具犒享。入魏境，田悦供承倍丰，使者迎候，相望于道。丁丑，滔至永济，遣王郅见悦，约会馆陶，偕行渡河。悦见郅曰：『悦固愿从五兄南行，昨日将出军，将士勒兵不听悦出，曰：「国兵新破，战守逾年，资储竭矣。今将士不免冻馁，何以全军远征！大王日自抚循，犹不能安；若舍城邑而去，朝出，暮必有变！」悦之志非敢有贰也，如将士何！已令孟祐备步骑五千，从五兄供刍牧之役。』因遣其司礼侍郎裴抗等往谢滔。滔闻之，大怒曰：『田悦逆贼，向在重围，命如丝发，使我叛君弃兄，发兵昼夜赴之，幸而得存。许我贝州，我辞不取；尊我为天子，我辞不受。今乃负恩，误我远来，饰辞不出！』即日，遣马寔攻宗城、经城，杨荣国攻冠氏，皆拔之。又纵回纥掠馆陶，顿幄帟、器皿、车、牛以去。悦闭城自守。壬午，滔遣裴抗等还，分兵置吏守平恩、永济。

丙戌，以吏部侍郎卢翰为兵部侍郎、同平章事。翰，义信之七世孙也。

朱滔引兵北围贝州，引水环之，刺史邢曹俊婴城拒守。纵范阳及回纥兵大掠诸县，又拔武城，通德、棣二州，使给军食。遣马寔将步骑五千屯冠氏以逼魏州。

以给事中杜黄裳为江淮宣慰副使。

上于行宫庑下贮诸道贡献之物，榜曰琼林大盈库。陆贽以为战守之功，赏赉未行而遽私别库，则士卒怨望，无复斗志，上疏谏，其略曰：『天子与天同德，以四海为家，何必挠废公方，崇聚私货！降至尊而代有司之守，辱万乘以效匹夫之藏，亏法失人，诱奸聚慝，以斯制事，岂不过哉！』又曰：『顷者六师初降，百物无储，外捍凶徒，内防危堞，昼夜不息，迨将五旬，冻馁交侵，死伤相枕，毕命同力，竟夷大艰。良以陛下不

与关中相应，天下其孰能当之！大王于时悔之无及。为大王计，不若阳许偕行而阴为之备，厚加迎劳，至则托以他故，遣将分兵而随之，如此，大王外不失报德之名而内无仓猝之忧矣。』扈崿等皆以为然。王武俊闻李瑨适魏，遣其司刑员外郎田秀驰见悦曰：『武俊向以宰相处事失宜，恐祸及身，又八郎困于重围，故与滔合兵救之。今天子方在隐忧，以德绥我，我曹何得不悔过而归之邪！舍九叶天子不事而事泚及滔乎！且泚未称帝之时，滔与我曹比肩为王，固已轻我曹矣。况使之南平汴、洛，与泚连衡，吾属皆为虏矣！八郎慎勿与之俱南，但闭城拒守。武俊请伺其隙，连昭义之兵，击而灭之，与八郎再清河朔，复为节度使，共事天子，不亦善乎！』悦意遂决，给滔云：『从行，必如前约。』丁卯，滔将范阳步骑五万人，私从者复万馀人，回纥三千人，发河间而南，辎重首尾四十里。

李希烈攻李勉于汴州，驱民运土木，筑垒道，以攻城。忿其未就，并人填之，谓之湿薪。勉城守累月，外救不至，将其众万馀人奔宋州。庚午，希烈陷大梁。滑州刺史李澄以城降希烈，希烈以澄为尚书令兼永平节度使。勉上表请罪，上谓其使者曰：『朕犹失守宗庙，勉宜自安。』待之如初。

刘洽遣其将高翼将精兵五千保襄邑，希烈攻拔之，翼赴水死。希烈乘胜攻宁陵，江、淮大震。陈少游遣参谋温述送款于希烈曰：『濠、寿、舒、庐，已令弛备，韬戈卷甲，伏俟指麾。』又遣巡官赵诜结李纳于郓州。

中书侍郎、同平章事关播罢为刑部尚书。

以给事中孔巢父为淄青宣慰使，国子祭酒董晋为河北宣慰使。

陆贽言于上曰：『今盗遍天下，舆驾播迁，陛下宜痛自引过以感人心。昔成汤以罪己勃兴，楚昭以善言复国。陛下诚能不吝改过，以言谢天下，使书诏无所避忌，臣虽愚陋，可以仰副圣情，庶令反侧之徒革心向化。』上然之，故奉天所下书诏，虽骄将悍卒闻之，无不感激挥涕。

术者上言：『国家厄运，宜有变更以应时数。』群臣请更加尊号一二字。上以问贽，贽上奏，以为不可，其略曰：『尊号之兴，本非古制。行于安泰之日，已累谦冲，袭乎丧乱之时，尤伤事体。』又曰：『嬴秦德衰，兼皇与帝，始总称之。流及后代，昏僻之君，乃有圣刘、天元之号。是知人主轻重，不在名称。损之有谦光稽古之善，崇之获矜能纳谄之讥。』又曰：『必也俯稽术数，须有变更，与其增美称而失人心，不若黜旧号以祗天戒。』上纳其言，但改年号而已。上又以中书所撰赦文示贽，贽上言，以为：『动人以言，所感已浅，言又不切，人谁肯怀！今兹德音，悔过之意不得不深，引

咎之辞不得不尽，洗刷疵垢，宣畅郁堙，使人人各得所欲，则何有不从者乎！应须改革事条，谨具别状同进。舍此之外，尚有所虞。窃以知过非难，改过为难；言善非难，行善为难。假使赦文至精，止于知过言善，犹愿圣虑更思所难。」上然之。

兴元元年（甲子，公元七八四年）

春，正月，癸酉朔，赦天下，改元。制曰：「致理兴化，必在推诚；忘己济人，不吝改过。朕嗣服丕构，君临万邦，失守宗祧，越在草莽。不念率德，诚莫追于既往；永言思咎，期有复于将来。明征其义，以示天下。

小子惧德弗嗣，罔敢怠荒，然以长于深宫之中，暗于经国之务，积习易溺，居安忘危，不知稼穑之艰难，不恤征戍之劳苦，泽靡下究，情未上通，事既拥隔，人怀疑阻。犹昧省己，遂用兴戎，征师四方，转饷千里，赋车籍马，远近骚然，行赍居送，众庶劳止，或一日屡交锋刃，或连年不解甲胄。祀奠乏主，室家靡依，死生流离，怨气凝结，力役不息，田莱多荒。暴令峻于诛求，疲甿空于杼轴，转死沟壑，离去乡闾，邑里丘墟，人烟断绝。天谴于上而朕不寤，人怨于下而朕不知，驯致乱阶，变兴都邑，万品失序，九庙震惊，上累于祖宗，下负于蒸庶，痛心靦貌，罪实在予，永言愧悼，若坠泉谷。自今中外所上书奏，不得更言「圣神文武」之号。

李希烈、田悦、王武俊、李纳等，咸以勋旧，各守藩维，朕抚御乖方，致其疑惧；皆由上失其道而下罹其灾，朕实不君，人则何罪！宜并所管将吏等一切待之如初。

朱滔虽缘朱泚连坐，路远必不同谋，念其旧勋，务在弘贷，如能效顺，亦与惟新。

朱泚反易天常，盗窃名器，暴犯陵寝，所不忍言，获罪祖宗，朕不敢赦。其胁从将吏百姓等，但官军未到京城以前，去逆效顺并散归本道、本军者，并从赦例。

诸军、诸道应赴奉天及进收京城将士，并赐名奉天定难功臣。其所加垫陌钱、税间架、竹、木、茶、漆、榷铁之类，悉宜停罢。」

赦下，四方人心大悦。及上还长安明年，李抱真入朝为上言：「山东宣布赦书，士卒皆感泣，臣见人情如此，知贼不足平也！」

命兵部员外郎李充为恒冀宣慰使。

朱泚更国号曰汉，自称汉元天皇，改元天皇。

王武俊、田悦、李纳见赦令，皆去王号，上表谢罪。惟李希烈自恃兵强财富，遂谋称帝，遣人问仪于颜真卿，真卿曰：「老夫尝为礼官，所记惟诸侯朝天子礼耳！」希烈遂即皇帝位，国号大楚，改元武成。置百官，以其党郑贲为侍中，孙广为中书令，李绶、李元平同平章事。以汴州为大梁府，分其境内为四节度。希烈遣其将辛景臻谓颜真

卿曰：『不能屈节，当自焚！』积薪灌油于其庭。真卿趋赴火，景臻遽止之。

希烈又遣其将杨峰赍赦赐陈少游及寿州刺史张建封。建封执峰徇于军，腰斩于市，少游闻之骇惧。建封具以少游与希烈交通之状闻，上悦，以建封为濠、寿、庐三州都团练使。希烈乃以其将杜少诚为淮南节度使，使将步骑万馀人先取寿州，后之江都，建封遣其将贺兰元均、邵怡守霍丘秋栅。少诚竟不能过，遂南寇蕲、黄，欲断江路，时上命包佶自督江、淮财赋，溯江诣行在。至蕲口，遇少诚入寇。曹王皋遣蕲州刺史伊慎将兵七千拒之，战于永安戍，大破之，少诚脱身走，斩首万级，包佶乃得前。后佶入朝，具奏陈少游夺财赋事。少游惧，厚敛所部以偿之。李希烈以夏口上流要地，使其骁将董侍募死士七千人袭鄂州，刺史李兼偃旗卧鼓闭门以待之。侍撤屋材以焚门，兼帅士卒出战，大破之。上以兼为鄂、岳、沔都团练使。于是希烈东畏曹王皋，西畏李兼，不敢复有窥江、淮之志矣。

朱滔引兵入赵境，王武俊大具犒享。入魏境，田悦供承倍丰，使者迎候，相望于道。丁丑，滔至永济，遣王郅见悦，约会馆陶，偕行渡河。悦见郅曰：『悦固愿从五兄南行，昨日将出军，将士勒兵不听悦出，曰：「国兵新破，战守逾年，资储竭矣。今将士不免冻馁，何以全军远征！大王日自抚循，犹不能安；若舍城邑而去，朝出，暮必有变！」悦之志非敢有贰也，如将士何！已令孟祐备步骑五千，从五兄供刍牧之役。』因遣其司礼侍郎裴抗等往谢滔。滔闻之，大怒曰：『田悦逆贼，向在重围，命如丝发，使我叛君弃兄，发兵昼夜赴之，幸而得存。许我贝州，我辞不取；尊我为天子，我辞不受。今乃负恩，误我远来，饰辞不出！』即日，遣马寔攻宗城、经城，杨荣国攻冠氏，皆拔之。又纵回纥掠馆陶顿幄帟、器皿、车、牛以去。悦闭城自守。壬午，滔遣裴抗等还，分兵置吏守平恩、永济。

丙戌，以吏部侍郎卢翰为兵部侍郎、同平章事。翰，义僖之七世孙也。

朱滔引兵北围贝州，引水环之，刺史邢曹俊婴城拒守。纵范阳及回纥兵大掠诸县，又拔武城，通德、棣二州，使给军食。遣马寔将步骑五千屯冠氏以逼魏州。

以给事中杜黄裳为江淮宣慰副使。

上于行宫庑下贮诸道贡献之物，榜曰琼林大盈库。陆贽以为战守之功，赏赉未行而遽私别库，则士卒怨望，无复斗志，上疏谏，其略曰：『天子与天同德，以四海为家，何必挠废公方，崇聚私货！降至尊而代有司之守，辱万乘以效匹夫之藏，亏法失人，诱奸聚慝，以斯制事，岂不过哉！』又曰：『顷者六师初降，百物无储，外捍凶徒，内防危堞，昼夜不息，迨将五旬，冻馁交侵，死伤相枕，毕命同力，竟夷大艰。良以陛下不

遂事不谏，渐生拘碍，动涉猜嫌，由是人各隐情，以言为讳，至于变乱将起，亿兆同忧，独陛下恬然不知，方谓太平可致。陛下以今日之所睹验往时之所闻，孰真孰虚，何得何失，则事之通塞备详之矣！人之情伪尽知之矣！」

上乃遣中使谕之曰：「朕本性甚好推诚，亦能纳谏。将谓君臣一体，全不提防，缘推诚信不疑，多被奸人卖弄。今所致患害，朕思亦无他，其失反在推诚。又，谏官论事，少能慎密，例自矜炫，归过于朕以自取名。朕从即位以来，见奏对论事者甚多，大抵皆是雷同，道听涂说，试加质问，遽即辞穷。若有奇才异能，在朕岂惜拔擢？朕见从前已来，事只如此，所以近来不多取次对人，亦非倦于接纳。卿宜深悉此意。」贽以人君临下，当以诚信为本。谏者虽辞情鄙拙，亦当优容以开言路，若震之以威，折之以辩，则臣下何敢尽言，乃复上疏，其略曰：「天子之道，与天同方，天不以地有恶木而废发生，天子不以时有小人而废听纳。」又曰：「唯信与诚，有失无补。一不诚则心莫之保，一不信则言莫之行。陛下所谓失于诚信以致患害者，臣窃以斯言为过矣。」又曰：「驭之以智则人诈，示之以疑则人偷。上行之则下从之，上施之则下报之。若诚不尽于己而望尽于人，众必怠而不从矣。不诚于前而曰诚于后，众必疑而不信矣。是知诚信之道，不可斯须而去身。愿陛下慎守而行之有加，恐非所以为悔者也！」又曰：「臣闻仲虺赞扬成汤，不称其无过而称其改过；吉甫歌诵周宣，不美其无阙而美其补阙。是则圣贤之意较然著明，惟以改过为能，不以无过为贵。盖为人之行己，必有过差，上智下愚，俱所不免。智者改过而迁善，愚者耻过而遂非；迁善则其德日新，遂非则其恶弥积。」又曰：「谏官不密自矜，信非忠厚，其于圣德固亦无亏。陛下若纳谏不违，则传之适足增美；陛下若违谏不纳，又安能禁之勿传！」又曰：「侈言无验不必用，质言当理不必违。辞拙而效速者不必愚，言甘而利重者不必智。是皆考之以实，虑之以终，其用无他，唯善所在。」又曰：「陛下所谓「比见奏对论事皆是雷同道听涂说者」，臣窃以众多之议，足见人情，必有可行，亦有可畏，恐不宜一概轻侮而莫之省纳也。陛下又谓「试加质问，即便辞穷」者，臣但以陛下虽穷其辞而未穷其理，能服其口而未服其心。」又曰：「为下者莫不愿忠，为上者莫不求理。然而下每苦上之不理，上每苦下之不忠。若是者何？两情不通故也。下之情莫不愿达于上，上之情莫不求知于下，然而下恒苦上之难达，上恒苦下之难知。若是者何？九弊不去故也。所谓九弊者，上有其六而下有其三：好胜人，耻闻过，骋辩给，眩聪明，厉威严，恣强愎，此六者，君上之弊也；谄谀，顾望，畏愞，此三者，臣下之弊也。上好胜必甘于佞辞，上耻过必忌于直谏，如是则下之谄谀者顺而忠实之语不闻矣。上骋辩必剿说而折人以言，上眩明必臆度而虞人

哥舒曜食尽，弃襄城奔洛阳。李希烈陷襄城。

右龙武将军李观将卫兵千馀人从上于奉天，上委之召募，数日，得五千馀人，列之通衢，旗鼓严整，城人为之增气。

姚令言之东出也，以兵马使京兆冯河清为泾原留后，判官河中姚况知泾州事。河清、况闻上幸奉天，集将士大哭，激以忠义，发甲兵、器械百馀车，通夕输行在。城中方苦无甲兵，得之，士气大振。诏以河清为四镇、北庭行营、泾原节度使，况为行军司马。

上至奉天数日，右仆射、同平章事崔宁始至，上喜甚，抚劳有加。宁退，谓所亲曰：『主上聪明英武，从善如流，但为卢杞所惑，以至于此！』因潸然出涕。杞闻之，与王翃谋陷之。翃言于上曰：『臣与宁俱出京城，宁数下马便液，久之不至，有顾望意。』会朱泚下诏，以左丞柳浑同平章事，宁为中书令。浑，襄阳人也，时亡在山谷。翃使盩厔尉康湛诈为宁遗朱泚书，献之。杞因谮宁与朱泚结盟，约为内应，故独后至。乙卯，上遣中使引宁就幕下，云宣密旨，二力士自后缢杀之，中外皆称其冤。上闻之，乃赦其家。

朱泚遣使遗朱滔书，称：『三秦之地，指日克平；大河之北，委卿除殄，当与卿会于洛阳。』滔得书，西向舞蹈宣示军府，移牒诸道，以自夸大。

上遣中使告难于魏县行营，诸将相与恸哭。李怀光帅众赴长安，马燧、李芃各引兵归镇，李抱真退屯临洺。

丁巳，以户部尚书萧复为吏部尚书，吏部郎中刘从一为刑部侍郎，翰林学士姜公辅为谏议大夫，并同平章事。

朱泚自将逼奉天，军势甚盛。以姚令言为元帅，张光晟副之，以李忠臣为京兆尹、皇城留守，仇敬忠为同、华等州节度使、拓东王，以捍关东之师，李日月为西道先锋经略使。

邠宁留后韩游瑰，庆州刺史论惟明，监军翟文秀，受诏将兵三千拒泚于便桥，与泚遇于醴泉。游瑰欲还趣奉天，文秀曰：『我向奉天，贼亦随至，是引贼以迫天子也。不若留壁于此，贼必不敢越我向奉天。若不顾而过，则与奉天夹攻之。』游瑰曰：『贼强我弱，若贼分军以缀我，直趣奉天，奉天兵亦弱，何夹攻之有！我今急趣奉天，所以卫天子也。且吾士卒饥寒而贼多财，彼以利诱吾卒，吾不能禁也。』遂引兵入奉天，泚亦随至。官军出战，不利，泚兵争门，欲入。浑瑊与游瑰血战竟日。门内有草车数乘，瑊使虞候高固帅甲士以长刀斫贼，皆一当百，曳车塞门，纵火焚之。众军乘火击贼，贼乃

退。会夜，泚营于城东三里，击柝张火，布满原野，使西明寺僧法坚造攻具，毁佛寺以为梯冲。韩游瑰曰：『寺材皆干薪，但具火以待之。』固，侃之玄孙也。泚自是日来攻城，瑊、游瑰等昼夜力战。幽州兵救襄城者闻泚反，突入潼关，归泚于奉天，普润戍卒亦归之，有众数万。

上与陆贽语及乱故，深自克责。贽曰：『致今日之患，皆群臣之罪也。』上曰：『此亦天命，非由人事。』贽退，上疏，以为：『陛下志壹区宇，四征不庭，凶渠稽诛，逆将继乱，兵连祸结，行及三年，征师日滋，赋敛日重，内自京邑，外洎边陲，行者有锋刃之忧，居者有诛求之困。是以叛乱继起，怨讟并兴，非常之虞，亿兆同虑，唯陛下穆然凝邃，独不得闻，至使凶卒鼓行，白昼犯阙，岂不以乘我间隙，因人携离哉！陛下有股肱之臣，有耳目之任，有谏诤之列，有备卫之司，见危不能竭其诚，临难不能效其死。臣所谓致今日之患，群臣之罪者，岂徒言欤！圣旨又以国家兴衰，皆有天命。臣闻天所视听，皆因于人。故祖伊责纣之辞曰：「我生不有命在天！」武王数纣之罪曰：「乃曰吾有命，罔惩其侮。」此又舍人事而推天命必不可之理也！《易》曰：「视履考祥。」又曰：「吉凶者，失得之象。」此乃天命由人，其义明矣。然则圣哲之意，《六经》会通，皆谓祸福由人，不言盛衰有命。盖人事理而天命降乱者，未之有也；人事乱而天命降康者，亦未之有也。自顷征讨颇频，刑网稍密，物力耗竭，人心惊疑，如居风涛，汹汹靡定。上自朝列，下达蒸黎，日夕族党聚谋，咸忧必有变故，旋属泾原叛卒，果如众庶所虞。京师之人，动逾亿计，固非悉知算术，皆晓占书，则明致寇之由，未必尽关天命。臣闻理或生乱，乱或资理，有以无难而失守，有因多难而兴邦。今生乱失守之事，则既往不可复追矣；其资理兴邦之业，在陛下克励而谨修之。何忧乎乱人，何畏乎厄运！勤励不息，足致升平，岂止荡涤妖氛，旋复宫阙而已！』

田悦说王武俊，使与马寔共击李抱真于临洺，抱真复遣贾林说武俊曰：『临洺兵精而有备，未易轻也。今战胜得地，则利归魏博；不胜，则恒冀大伤。易、定、沧、赵，皆大夫之故地也，不如先取之。』武俊乃辞悦，与马寔北归，壬戌，悦送武俊于馆陶，执手泣别，下至将士，赠遗甚厚。

先是，武俊召回纥兵，使绝李怀光等粮道，怀光等已西去，而回纥达干将回纥千人、杂虏二千人适至幽州北境。朱滔因说之，欲与俱诣河南取东都，应接朱泚，许以河南子女、金帛赂之。滔娶回纥女为侧室，回纥谓之朱郎，且利其俘掠，许之。

贾林复说武俊曰：『自古国家有患，未必不因之更兴。况主上九叶天子，聪明英武，天下谁肯舍之共事朱泚乎！滔自为盟主以来，轻蔑同列，河朔古无冀国，冀乃大夫

之封域也。今滔称冀王，又西倚其兄，北引回纥，其志欲尽吞河朔而王之，大夫虽欲为之臣，不可得矣。且大夫雄勇善战，非滔之比。又本以忠义手诛叛臣，当时宰相处置失宜，为滔所诳诱，故蹉跌至此，不若与昭义并力取滔，其势必获。滔既亡，则泚自破矣。此不世之功，转祸为福之道也。今诸道辐凑攻泚，不日当平。天下已定，大夫乃悔而归国，则已晚矣！』时武俊已与滔有隙，因攘袂作色曰：『二百年天子吾不能臣，岂能臣此田舍儿乎！』遂与抱真及马燧相结，约为兄弟。然犹外事滔，礼甚谨，与田悦各遣使见滔于河间，贺朱泚称尊号，且请马寔之兵共攻康日知于赵州。

汝、郑应援使刘德信将子弟军在汝州，闻难，引兵入援，与泚众战于见子陵，破之。以东渭桥有转输积粟，癸亥，进屯东渭桥。

朱泚夜攻奉天东、西、南三面。甲子，浑瑊力战却之。左龙武大将军吕希倩战死。乙丑，泚复攻城，将军高重捷与泚将李日月战于梁山之隅，破之。乘胜逐北，身先士卒，贼伏兵擒之。其麾下十馀人奋不顾死，追夺之。贼不能拒，乃斩其首，弃其身而去。麾下收之入城，上亲抚而哭之尽哀，结蒲为首而葬之，赠司空。朱泚见其首，亦哭之曰：『忠臣也！』束蒲为身而葬之。李日月，泚之骁将也，战死于奉天城下。泚归其尸于长安，厚葬之。其母竟不哭，骂曰：『奚奴！国家何负于汝而反？死已晚矣！』及泚败，贼党皆族诛，独日月之母不坐。

己巳，加浑瑊京畿、渭南、北、金商节度使。

壬申，王武俊与马寔至赵州城下。

初，朱泚镇凤翔，遣其将牛云光将幽州兵五百人戍陇州，以陇右营田判官韦皋领陇右留后。及郝通奔凤翔，牛云光诈疾，欲俟皋至，伏兵执之以应泚，事泄，帅其众奔泚。至汧阳，遇泚遣中使苏玉赍诏书加皋中丞，玉说云光曰：『韦皋，书生也。君不如与我俱之陇州，皋幸而受命，乃吾人也。不受命，君以兵诛之，如取孤纯耳！』云光从之。皋从城上问云光曰：『向者不告而行，今而复来，何也？』云光曰：『向者未知公心，今公有新命，故复来，愿托腹心。』皋乃先纳苏玉，受其诏书，谓云光曰：『大使苟无异心，请悉纳甲兵，使城中无疑，众乃可入。』云光以皋书生，易之，乃悉以甲兵输之而入。明日，皋宴玉、云光及其卒于郡舍，伏甲诛之。筑坛，盟将士曰：『李楚琳贼虐本使，既不事上，安能恤下，宜相与讨之！』遣兄平、弇诣奉天，复遣使求援于吐蕃。

资治通鉴卷第二百二十九

唐纪四十五 起昭阳大渊献十一月，尽阏逢困敦正月，不满一年。

德宗神武圣文皇帝四

建中四年（癸亥，公元七八三年）

十一月，乙亥，以陇州为奉义军，擢皋为节度使。泚又使中使刘海广许皋凤翔节度使。皋斩之。

灵武留后杜希全、盐州刺史戴休颜、夏州刺史时常春会渭北节度使李建徽，合兵万人入援，将至奉天，上召将相议道所从出。关播、浑瑊曰：『漠谷道险狭，恐为贼所邀。不若自乾陵北过，附柏城而行，营于城东北鸡子堆，与城中犄角相应，且分贼势。』卢杞曰：『漠谷道近，若为贼所邀，则城中出兵应接可也。倘出乾陵，恐惊陵寝。』瑊曰：『自泚攻城，斩乾陵松柏，以夜继昼，其惊多矣。今城中危急，诸道救兵未至，惟希全等来，所系非轻，若得营据要地，则泚可破也。』杞曰：『陛下行师，岂比逆贼！若令希全等过之，是自惊陵寝。』上乃命希全等自漠谷进。丙子，希全等军至漠谷，果为贼所邀，乘高以大弩、巨石击之，死伤甚众。城中出兵应接，为贼所败。是夕，四军溃，退保邠州。泚阅其辎重于城下，从官相视失色。休颜，夏州人也。

泚攻城益急，穿堑环之。泚移帐于乾陵，下视城中，动静皆见之。时遣使环城招诱士民，笑其不识天命。

神策河北行营节度使李晟疾愈，闻上幸奉天，帅众将奔命。张孝忠迫于朱滔、王武俊，倚晟为援，不欲晟行，数沮止之。晟乃留其子凭，使娶孝忠女为妇，又解玉带赂孝忠亲信，使说之。孝忠乃听晟西归，遣大将杨荣国将锐兵六百与晟俱。晟引兵出飞狐道，昼夜兼行，至代州。丁丑，加晟神策行营节度使。

王武俊、马寔攻赵州不克。辛巳，寔归瀛州，武俊送之五里，犒赠甚厚。武俊亦归恒州。

上之出幸奉天也，陕虢观察使姚明敭以军事委都防御副使张劝，去诣行在。劝募兵得数万人。甲申，以劝为陕虢节度使。

朱泚攻围奉天经月，城中资粮俱尽。上尝遣健步出城觇贼，其人恳以苦寒为辞，跪奏乞一襦裤。上为之寻求不获，竟悯默而遣之。时供御才有粝米二斛，每伺贼之休息，夜，缒人于城外，采芜菁根而进之。上召公卿将吏谓曰：『朕以不德，自陷危亡，固其宜也。公辈无罪，宜早降，以救室家。』群臣皆顿首流涕，期尽死力，故将士虽困急而锐气不衰。

上之幸奉天也，粮料使崔纵劝李怀光令入援，怀光从之。纵悉敛军资与怀光皆来。怀光昼夜倍道，至河中，力疲，休兵三日。河中尹李齐运倾力犒宴，军士尚欲迁延。崔纵先辇货财渡河，谓众曰：『至河西，悉以分赐。』众利之，西屯蒲城，有众五万。齐运，恽之孙也。

李晟行且收兵，亦自蒲津济，军于东渭桥。其始有卒四千，晟善于抚御，与士卒同甘苦，人乐从之，旬月间至万馀人。

神策兵马使尚可孤讨李希烈，将三千人在襄阳，自武关入援，军于七盘，败泚将仇敬，遂取蓝田。可孤，宇文部之别种也。

镇国军副使骆元光，其先安息人，骆奉先养以为子，将兵守潼关近十年，为众所服。朱泚遣其将何望之袭华州，刺史董晋弃州走行在。望之据其城，将聚兵以绝东道。元光引关下兵袭望之，走还长安。元光遂军华州，召募士卒，数日，得万馀人。泚数遣兵攻元光，元光皆击却之，贼由是不能东出。上即以元光为镇国军节度使，元光乃将兵二千西屯昭应。

马燧遣其行军司马王权及其子汇将兵五千人入援，屯中渭桥。

于是泚党所据惟长安而已，援军游骑时至望春楼下。李忠臣等屡出兵皆败，求救于泚，泚恐民间乘弊抄之，所遣兵皆昼伏夜行。泚内以长安为忧，乃急攻奉天，使僧法坚造云梯，高广各数丈，裹以兕革，下施巨轮，上容壮士五百人。城中望之恟惧。上以问群臣，浑瑊、侯仲庄对曰：『臣观云梯势甚重，重则易陷。臣请迎其所来凿地道，积薪蓄火以待之。』神武军使韩澄曰：『云梯小伎，不足上劳圣虑，臣请御之。』乃度梯之所傃，广城东北隅三十步，多储膏油松脂薪苇于其上。丁亥，泚盛兵鼓噪攻南城，韩游瑰曰：『此欲分吾力也。』乃引兵严备东北。戊子，北风甚迅，泚推云梯，上施湿毡，悬水囊，载壮士攻城，翼以轒辒，置人其下，抱薪负土填堑而前，矢石火炬所不能伤。贼并兵攻城东北隅，矢石如雨，城中死伤者不可胜数。贼已有登城者，上与浑瑊对泣，群臣惟仰首祝天。上以无名告身自御史大夫、实食五百户以下千馀通授瑊，使募敢死士御之，仍赐御笔，使视其功之大小书名给之，告身不足则书其身，且曰：『今便与卿别。』瑊俯伏流涕，上拊其背，歔欷不自胜。时士卒冻馁，又乏甲胄，瑊抚谕，激以忠义，皆鼓噪力战。瑊中流矢，进战不辍，初不言痛。会云梯辗地道，一轮偏陷，不能前却，火从地中出，风势亦回，城上人投苇炬，散松脂，沃以膏油，欢呼震地。须臾，云梯及梯上人皆为灰烬，臭闻数里，贼乃引退。于是三门皆出兵，太子亲督战，贼徒大败，死者数千人。将士伤者，太子亲为裹疮。入夜，泚复来攻城，矢及御前三步而坠，上大惊。

李怀光自蒲城引兵趣泾阳，并北山而西，先遣兵马使张韶微服间行诣行在，藏表于蜡丸。韶至奉天，值贼方攻城，见韶，以为贱人，驱之使与民俱填堑。韶得间，逾堑抵城下呼曰：「我朔方军使者也。」城上人下绳引之，比登，身中数十矢，得表于衣中而进之。上大喜，舁韶以徇城，四隅欢声如雷。癸巳，怀光败泚兵于澧泉。泚闻之惧，引兵遁归长安。众以为怀光复三日不至，则城不守矣。

泚既退，从臣皆贺。汴滑行营兵马使贾隐林进言曰：「陛下性太急，不能容物，若此性未改，虽朱泚败亡，忧未艾也！」上不以为忤，甚称之。侍御史万俟著开金、商运路，重围既解，诸道贡赋继至，用度始振。

朱泚至长安，但为城守之计，时遣人自城外来，周走呼曰：「奉天破矣！」欲以惑众。泚既据府库之富，不爱金帛以悦将士，公卿家属在城者皆给月俸。神策及六军从车驾及哥舒曜、李晟者，泚皆给其家粮。加以缮完器械，日费甚广。及长安平，府库尚有馀蓄，见者皆追怨有司之暴敛焉。

或谓泚曰：「陛下既受命，唐之陵庙不宜复存。」泚曰：「朕尝北面事唐，岂忍为此！」又曰：「百官多缺，请以兵胁士人补之。」泚曰：「强授之则人惧。但欲仕者则与之，何必叩户拜官邪！」泚所用者惟范阳、神策团练兵。泾原卒骄，皆不为用，但守其所掠资货，不肯出战。又密谋杀泚，不果而止。

李怀光性粗疏，自山东来赴难，数与人言卢杞、赵赞、白志贞之奸佞，且曰：「天下之乱，皆此曹所为也！吾见上，当请诛之。」既解奉天之围，自矜其功，谓上必接以殊礼。或说王翃、赵赞曰：「怀光缘道愤叹，以为宰相谋议乖方，度支赋敛烦重，京尹犒赐刻薄。致乘舆播迁者，三臣之罪也。今怀光新立大功，上必披襟布诚，询访得失，使其言入，岂不殆哉！」翃、赞以告卢杞。杞惧，从容言于上曰：「怀光勋业，社稷是赖，贼徒破胆，皆无守心，若使之乘胜取长安，则一举可以灭贼，此破竹之势也。今听其入朝，必当赐宴，留连累日，使贼入京城，得从容成备，恐难图矣！」上以为然。诏怀光直引军屯便桥，与李建徽、李晟及神策兵马使杨惠元刻期共取长安。怀光自以数千里竭诚赴难，破朱泚，解重围，而咫尺不得见天子，意殊怏怏，曰：「吾今已为奸臣所排，事可知矣！」遂引兵去，至鲁店，留二日乃行。

剑南西山兵马使张朏以所部兵作乱，入成都，西川节度使张延赏弃城奔汉州。鹿头戍将叱干遂等讨之，斩朏及其党，延赏复归成都。

淮南节度使陈少游将兵讨李希烈，屯盱眙，闻朱泚作乱，归广陵，修堑垒，缮甲兵。浙江东、西节度使韩滉闭关梁，禁马牛出境，筑石头城，穿井近百所，缮馆第数

十，修坞壁，起建业，抵京岘，楼堞相属，以备车驾渡江，且自固也。少游发兵三千大阅于江北。滉亦发舟师三千耀武于京江以应之。

盐铁使包佶有钱帛八百万，将输京师。陈少游以为贼据长安，未期收复，欲强取之。佶不可，少游欲杀之。佶惧，匿妻子于案牍中，急济江。少游悉收其钱帛。佶有守财卒三千，少游亦夺之。佶才与数十人俱至上元，复为韩滉所夺。

时南方藩镇各闭境自守，惟曹王皋数遣使开道贡献。李希烈攻逼汴、郑，江、淮路绝，朝贡皆自宣、饶、荆、襄趣武关。皋治邮驿，平道路，由是往来之使，通行无阻。

上问陆贽以当今切务。贽以向日致乱，由上下之情不通，劝上接下从谏，乃上疏，其略曰：『臣谓当今急务，在于审察群情，若群情之所甚欲者，陛下先行之；所甚恶者，陛下先去之。欲恶与天下同而天下不归者，自古及今，未之有也。夫理乱之本，系于人心，况乎当变故动摇之时，在危疑向背之际，人之所归则植，人之所去则倾，陛下安可不审察群情，同其欲恶，使亿兆归趣，以靖邦家乎！此诚当今之所急也。』又曰：『顷者窃闻舆议，颇究群情，四方则患于中外意乖，百辟又患于君臣道隔。郡国之志不达于朝廷，朝廷之诚不升于轩陛。上泽阙于下布，下情壅于上闻，实事不必知，知事不必实，上下否隔于其际，真伪杂糅于其间，聚怨嚣嚣，腾谤籍籍，欲无疑阻，其可得乎！』又曰：『总天下之智以助聪明，顺天下之心以施教令，则君臣同志，何有不从！远迩归心，孰与为乱！』又曰：『虑有愚而近道，事有要而似迂。』疏奏旬日，上无所施行，亦不诘问。贽又上疏，其略曰：『臣闻立国之本，在乎得众，得众之要，在乎见情。故仲尼以谓人情者圣王之田，言理道所生也。』又曰：『《易》，乾下坤上曰泰，坤下乾上曰否，损上益下曰益，损下益上曰损。夫天在下而地处上，于位乖矣，而反谓之泰者，上下交故也。君在上而臣处下，于义顺矣，而反谓之否者，上下不交故也。上约己而裕于人，人必悦而奉上矣，岂不谓之益乎！上蔑人而肆诸己，人必怨而叛上矣，岂不谓之损乎！』又曰：『舟即君道，水即人情。舟顺水之道乃浮，违则没；君得人之情乃固，失则危。是以古先圣王之居人上也，必以其欲从天下之心，而不敢以天下之人从其欲。』又曰：『陛下愤习俗以妨理，任削平而在躬，以明威照临，以严法制断，流弊自久，浚恒太深。远者惊疑而阻命逃死之乱作，近者畏慑而偷容避罪之态生。君臣意乖，上下情隔，君务致理，而下防诛夷，臣将纳忠，又上虑欺诞，故睿诚不布于群物，物情不达于睿聪。臣于往年曾任御史，获奉朝谒，仅欲半年，陛下严邃高居，未尝降旨临问，群臣跼蹐趋退，亦不列事奏陈。轩陛之间，且未相谕，宇宙之广，何由自通！虽复例对使臣，别延宰辅，既殊师锡，且异公言。未行者则戒以枢密勿论，已行者又谓之

书无怀光署名，故不敢进。』上命陆贽谕怀光，怀光固执以为不可，曰：『若克京城，吐蕃必纵兵焚掠，谁能遏之！此一害也。前有敕旨，募士卒克城者人赏百缗，彼发兵五万，若援敕求赏，五百万缗何从可得！此二害也。虏骑虽来，必不先进，勒兵自固，观我兵势，胜则从而分功，败则从而图变，谲诈多端，不可亲信，此三害也。』竟不肯署敕。尚结赞亦不进兵。

陆贽自咸阳还，上言：『贼泚稽诛，保聚宫苑，势穷援绝，引日偷生。怀光总仗顺之师，乘制胜之气，鼓行芟剪，易若摧枯，而乃寇奔不追，师老不用，诸帅每欲进取，怀光辄沮其谋，据兹事情，殊不可解，陛下意在全护，委曲听从，观其所为，亦未知感。若不别务规略，渐思制持，惟以姑息求安，终恐变故难测。此诚事机危迫之秋也，固不可以寻常容易处之。今李晟奏请移军，适遇臣衔命宣慰，怀光偶论此事，臣遂泛问所宜。怀光乃云：「李晟既欲别行，某亦都不要藉。」臣犹虑有翻覆，因美其军盛强。怀光大自矜夸，转有轻晟之意。臣又从容问云：「回日，或圣旨顾问事之可否，决定何如？」怀光已肆轻言，不可中变，遂云：「恩命许去，事亦无妨。」要约再三，非不详审，虽欲追悔，固难为辞。伏望即以李晟表出付中书，敕下依奏，别赐怀光手诏，示以移军事由。其手诏大意云：「昨得李晟奏，请移军城东以分贼势。朕本欲委卿商量，适会陆贽回奏云，见卿语及于此，仍言许去事亦无妨，遂敕本军允其所请。」如此，则词婉而直，理顺而明，虽蓄异端，何由起怨！』上从之。晟自咸阳结陈而行，归东渭桥。

时鄜坊节度使李建徽、神策行营节度使杨惠元犹与怀光联营，陆贽复上奏曰：『怀光当管师徒，足以独制凶寇，逗留未进，抑有他由。所患太强，不资傍助。比者又遣李晟、李建徽、杨惠元三节度之众附丽其营，无益成功，只足生事。何则？四军接垒，群帅异心，论势力则悬绝高卑，据职名则不相统属。怀光轻晟等兵微位下而忿其制不从心，晟等疑怀光养寇蓄奸而怨其事多陵己。端居则互防飞谤，欲战则递恐分功，龃龉不和，嫌衅遂构，俾之同处，必不两全。强者恶积而后亡，弱者势危而先覆，覆亡之祸，翘足可期！旧寇未平，新患方起，忧叹所切，实堪疚心。太上消慝于未萌，其次救失于始兆。况乎事情已露，祸难垂成，委而不谋，何以宁乱！李晟见机虑变，先请移军就东，建徽、惠元势转孤弱，为其吞噬，理在必然，他日虽有良图，亦恐不能自拔。拯其危急，唯在此时。今因李晟愿行，便遣合军同往，托言晟兵素少，虑为贼泚所邀，借此两军迭为犄角，仍先谕旨，密使促装，诏书至营，即日进路，怀光意虽不欲，然亦计无所施。是谓先人有夺人之心，疾雷不及掩耳者也。解斗不可以不离，救焚不可以不疾，理尽于此，惟陛下图之。』上曰：『卿所料极善。然李晟移军，怀光不免怅望，若更遣建徽、

惠元就东，恐因此生辞，转难调息，且更俟旬时。』

辛酉，加王武俊同平章事兼幽州、卢龙节度使。

李晟以为：『怀光反状已明，缓急宜有备，蜀、汉之路不可壅，请以裨将赵光铣等为洋、利、剑三州刺史，各将兵五百以防未然。』上疑未决，欲亲总禁兵幸咸阳，以慰抚为名，趣诸将进讨。或谓怀光曰：『此汉祖游云梦之策也！』怀光大惧，反谋益甚。

上垂欲行，怀光辞益不逊，上犹疑谗人间之，甲子，加怀光太尉，增实食，赐铁券，遣神策右兵马使李卞等往谕旨。怀光对使者投铁券于地曰：『圣人疑怀光邪？人臣反，赐铁券；怀光不反，今赐铁券，是使之反也！』辞气甚悖。朔方左兵马使张名振当军门大呼曰：『太尉视贼不许击，待天使不敬，果欲反邪！功高太山，一旦弃之，自取族灭，富贵他人，何益哉！我今日必以死争之！』怀光闻之，谓曰：『我不反，以贼方强，故须蓄锐俟时耳。』怀光又言：『天子所居必有城隍。』乃发卒城咸阳，未几，移军据之。张名振曰：『乃者言不反，今日拔军此来，何也？何不攻长安，杀朱泚，取富贵，引军还邠邪？』怀光曰：『名振病心矣！』命左右引去，拉杀之。右武锋兵马使石演芬，本西域胡人，怀光养以为子。怀光潜与朱泚通谋，演芬遣其客郜成义诣行在告之，请罢其都统之权。成义至奉天，告怀光子璀。璀密白其父。怀光召演芬责之曰：『我以尔为子，奈何欲破我家！今日负我，死甘心乎？』演芬曰：『天子以太尉为股肱，太尉以演芬为心腹；太尉既负天子，演芬安得不负太尉乎！演芬胡人，不能异心，惟知事一人。苟免贼名而死，死甘心矣！』怀光使左右脔食之，皆曰：『义士也，可令快死！』以刀断其喉而去。

李卞等还，言怀光骄慢之状，于是行在始严门禁，从臣皆密装以待。乙丑，加李晟河中、同绛节度使。上犹以为薄，丙寅，又加同平章事。上将幸梁州，山南节度使盐亭严震闻之，遣使诣奉天奉迎，又遣大将张用诚将兵五千至盩厔以来迎卫。用诚为怀光所诱，阴与之通谋，上闻而患之。会震继遣牙将马勋奉表，上语之故。勋请：『亟诣梁州取严震符召用诚还府，若不受召，臣请杀之。』上喜曰：『卿何时复至此？』勋刻日时而去。既得震符，请壮士五人与之俱出骆谷。用诚不知事泄，以数百骑迎之，勋与之俱入驿。时天寒，勋多然藁火于驿外，军士皆往附火。勋乃从容出怀中符，以示用诚曰：『大夫召君。』用诚错愕起走，壮士自后执其手擒之。用诚子在勋后，斫伤勋首。壮士格杀其子，仆用诚于地，跨其腹，以刀拟其喉曰：『出声则死！』勋入其营，士卒已擐甲执兵矣。勋大言曰：『汝曹父母妻子皆在汉中，一朝弃之，与张用诚同反，于汝曹何利乎！大夫令我取用诚，不问汝曹，无自取族灭！』众皆詟服。勋送用诚诣梁州，震杖杀

之，命副将领其众。勋裹其首，复命于行在，愆期半日。

李怀光夜遣人袭夺李建徽、杨惠元军，建徽走免，惠元将奔奉天，怀光遣兵追杀之。怀光又宣言曰：『吾今与朱泚连和，车驾且当远避！』怀光以韩游瓌朔方将也，掌兵在奉天，与游瓌书，约使为变，游瓌密奏之。明日，又以书趣之，游瓌又奏之。上称其忠义，因问：『策安出？』对曰：『怀光总诸道兵，故敢恃众为乱。今邠宁有张昕，灵武有宁景璿，河中有吕鸣岳，振武有杜从政，潼关有唐朝臣，渭北有窦觎，皆守将也。陛下各以其地及其众授之，尊怀光之官，罢其权，则行营诸将各受本府指麾矣。怀光独立，安能为乱！』上曰：『罢怀光兵权，若朱泚何？』对曰：『陛下既许将士以克城殊赏，将士奉天子之命以讨贼取富贵，谁不愿之！邠府兵以万数，借使臣得而将之，足以诛泚。况诸道必有仗义之臣，泚不足忧也！』上然之。丁卯，怀光遣其将赵升鸾入奉天，约其夕使别将达奚小俊烧乾陵，令升鸾为内应以惊胁乘舆。升鸾诣浑瑊自言，瑊遽以闻，且请决幸梁州。上命瑊戒严，瑊出，部勒未毕，上已出城西，命戴休颜守奉天，朝臣将士狼狈扈从。戴休颜徇于军中曰：『怀光已反！』遂乘城拒守。

朱泚之称帝也，兵部侍郎刘乃卧病在家，泚召之，不起。使蒋镇自往说之，凡再往，知不可诱胁，乃叹曰：『镇亦忝列曹，不能舍生，以至于此，岂可复以己之腥臊污漫贤者乎！』歔欷而返。乃闻帝幸山南，搏膺大呼，自投于床，不食，数日而卒。太子少师乔琳从上至盩厔，称老疾不堪山险，削发为僧，匿于仙游寺。泚闻之，召至长安，以为吏部尚书。于是朝士之窜匿者多出仕泚矣。

怀光遣其将孟保、惠静寿、孙福达将精骑趣南山邀车驾，遇诸军粮料使张增于盩厔。三将曰：『彼使我为不臣，我以追不及报之，不过不使我将耳。』因目增曰：『军士未朝食，如何？』增绐其众曰：『此东数里有佛祠，吾贮粮焉。』三将帅众而东，纵之剽掠，由是百官从行者皆得入骆谷，以追不及还报，怀光皆黜之。

河东将王权、马汇引兵归太原。

李晟得除官制，拜哭受命，谓将佐曰：『长安，宗庙所在，天下根本，若诸将皆从行，谁当灭贼者！』乃治城隍，缮甲兵，为复京城之计。先是东渭桥有积粟十馀万斛，度支给李怀光军，几尽。是时怀光、朱泚连兵，声势甚盛，车驾南幸，人情扰扰。晟以孤军处二强寇之间，内无资粮，外无救援，徒以忠义感激将士，故其众虽单弱而锐气不衰。又以书遗怀光，辞礼卑逊，虽示尊崇而谕以祸福，劝之立功补过。故怀光惭恧，未忍击之。晟曰：『畿内虽兵荒之馀，犹可赋敛。宿兵养寇，患莫大焉！』乃以判官张彧假京兆尹，择四十馀人，假官以督渭北诸县刍粟，不旬日，皆充羡。乃流涕誓众，决志

平贼。

田悦用兵数败，士卒死者什六七，其下皆厌苦之。上以给事中孔巢父为魏博宣慰使。巢父性辩博，至魏州，对其众为陈逆顺祸福，悦及将士皆喜。兵马使田绪，承嗣之子也，凶险，多过失，悦不忍杀，杖而拘之。悦既归国，内外撤警备。三月，壬申朔，悦与巢父宴饮，绪对弟侄有怨言，其侄止之，绪怒，杀侄，既而悔之，曰：『仆射必杀我！』既夕，悦醉，归寝，绪与左右密穿后垣入，杀悦及其母、妻等十馀人，即帅左右执刀立于中门之内夹道。将旦，以悦命召行军司马扈崿、判官许士则、都虞候蒋济议事。府署深邃，外不知有变，士则、济先至，召入，乱斫杀之。绪恐既明事泄，乃出门，遇悦亲将刘忠信方排牙，绪疾呼谓众曰：『刘忠信与扈崿谋反，昨夜刺杀仆射。』众大惊，喧哗。忠信未及自辩，众分裂杀之。扈崿来，及戟门遇乱，招谕将士，将士从之者三分之一。绪惧，登城而立，大呼谓众曰：『绪，先相公之子，诸君受先相公恩，若能立绪，兵马使赏缗钱二千，大将半之，下至士卒，人赏百缗，竭公私之货，五日取办。』于是将士回首杀扈崿，皆归绪，军府乃安。因请命于孔巢父，巢父命绪权知军府。后数日，众乃知绪杀其兄，虽悔怒，而绪已立，无如之何。绪又杀悦亲将薛有伦等二十馀人。李抱真、王武俊引兵将救贝州，闻乱，不敢进。朱滔闻悦死，喜曰：『悦负恩，天假手于绪也！』即遣其执宪大夫郑景济等将步骑五千助马寔，合兵万二千攻魏州。寔军王莽河，纵骑兵及回纥四出剽掠。滔别遣人入城说绪，许以本道节度使。绪方危急，遣随军侯臧诣贝州送款于滔，滔喜，遣臧还报，使亟定盟约。时绪部署城内已定，李抱真、王武俊又遣使诣绪，许以赴援，如悦存日之约。绪召将佐议之，幕僚曾穆、卢南史曰：『用兵虽尚威武，亦本仁义，然后有功。今幽陵之兵恣行杀掠，白骨蔽野，虽先仆射背德，其民何罪！今虽盛强，其亡可跂立而待也。况昭义、恒冀方相与攻之，奈何以目前之急欲从人为反逆乎！不若归命朝廷，天子方蒙尘于外，闻魏博使至必喜，官爵旋踵而至矣。』绪从之，遣使奉表诣行在，城守以俟命。

上之发奉天也，韩游瓌帅其麾下八百馀人还邠州。李怀光以李晟军浸盛，恶之，欲引军自咸阳袭东渭桥。三令其众，众不应，窃相谓曰：『若与我曹击朱泚，惟力是视；若欲反，我曹有死，不能从也！』怀光知众不可强，问计于宾佐，节度巡官良乡李景略曰：『取长安，杀朱泚，散军还诸道，单骑诣行在，如此，臣节亦未亏，功名犹可保也。』顿道恳请，至于流涕，怀光许之。都虞候阎晏等劝怀光东保河中，徐图去就，怀光乃说其众曰：『今且屯泾阳，召妻孥于邠，俟至，与之俱往河中。春装既办，还攻长安，未晚也。东方诸县皆富实，军发之日，听尔曹俘掠。』众许之。怀光乃谓景略曰：

『向者之议，军众不从，子宜速去，不且见害！』遣数骑送之。晟略出军门，恸哭曰：『不意此军一旦陷于不义！』怀光遣使诣邠州，令留后张昕悉发所留兵万馀人及行营将士家属会泾阳，仍遣其将刘礼等将三千馀骑胁迁之。韩游瓌说昕曰：『李太尉功高自弃，已蹈祸机。中丞今日可以自求富贵，游瓌请帅麾下以从。』昕曰：『昕微贱，赖李太尉得至此，不忍负也！』游瓌乃谢病不出，阴与诸将高固、杨怀宾等相结。时崔汉衡以吐蕃兵营于邠南，高固曰：『昕以众去，则邠城空矣。』乃诈为浑瑊书，召吐蕃使稍逼邠城。昕等惧，竟不敢出。昕等谋杀诸将之不从者，游瓌知之，先与高固等举兵杀昕，遣杨怀宾奉表以闻，且遣人告崔汉衡。汉衡矫诏以游瓌知军府事，军中大喜。怀光子旻在邠，游瓌遣之，或曰：『不杀旻，何以自明？』游瓌曰：『杀旻，怀光怒，其众必至，不如释旻以走之。』时杨怀宾子朝晟在怀光军中为右厢兵马使，闻之，泣白怀光曰：『父立功于国，子当诛夷，不可典兵。』怀光囚之。于是游瓌屯邠宁，戴休颜屯奉天，骆元光屯昭应，尚可孤屯蓝田，皆受李晟节度，晟军声大振。

始，怀光方强，朱泚畏之，与怀光书，以兄事之，约分帝关中，永为邻国。及怀光决反，逼乘舆南幸，其下多叛之，势益弱。泚乃赐怀光诏书，以臣礼待之，且征其兵。怀光惭怒，内忧麾下为变，外恐李晟袭之，遂烧营东走，掠泾阳等十二县，鸡犬无遗。及富平，大将孟涉、段威勇将数千人奔于李晟，将士在道散亡相继。至河中，或劝河中守将吕鸣岳焚桥拒之，鸣岳以兵少恐不能支，遂纳之，河中尹李齐运弃城走。怀光遣其将赵贵先筑垒于同州，刺史李纾惧，奔行在。幕僚裴向摄州事，诣贵先，责以逆顺之理，贵先感寤，遂请降，同州由是获全。向，遵庆之子也。怀光使其将符峤袭坊州，据之，渭北守将窦觎帅猎团七百围之。峤请降。诏以觎为渭北行军司马。

丁亥，以李晟兼京畿、渭北、鄜、坊、丹、延节度使。

庚寅，车驾至城固。唐安公主薨，上长女也。

上在道，民有献瓜果者，上欲以散试官授之，访于陆贽，贽上奏，以为：『爵位恒宜慎惜，不可轻用。起端虽微，流弊必大。献瓜果者，止可赐之钱帛，不当酬以官。』上曰：『试官虚名，无损于事。』贽又上奏，其略曰：『自兵兴以来，财赋不足以供赐，而职官之赏兴焉。青朱杂沓于胥徒，金紫普施于舆皂。当今所病，方在爵轻，设法贵之，犹恐不重，若又自弃，将何劝人！夫诱人之方，惟名与利，名近虚而于教为重，利近实而于德为轻。专实利而不济之以虚，则耗匮而物力不给。专虚名而不副之以实，则诞谩而人情不趋。故国家命秩之制，有职事官，有散官，有勋官，有爵号，然掌务而授俸者，唯系职事之一官也，此所谓施实利而寓虚名者也。其勋、散、爵号三者所系，大

抵止于服色、资荫而已，此所谓假虚名而佐实利者也。今之员外、试官，颇同勋、散、爵号，虽则授无费禄，受不占员，然而突铦锋、排患难者则以是赏之，竭筋力、展劳效者又以是酬之。若献瓜果者亦授试官，则彼必相谓曰『吾以忘躯命而获官，此以进瓜果而获官，是乃国家以吾之躯命同于瓜果矣』。视人如草木，谁复为用哉！今陛下既未有实利以敦劝，又不重虚名而滥施，人无藉焉。则后之立功者，将曷用为赏哉！』贽在翰林，为上所亲信，居艰难中，虽有宰相，大小之事，上必与贽谋之，故当时谓之内相，上行止必与之俱。梁、洋道险，尝与贽相失，经夕不至，上惊忧涕泣，募得贽者赏千金。久之，乃至，上喜甚，太子以下皆贺。然贽数直谏，迕上意，卢杞虽贬官，上心庇之。贽极言杞奸邪致乱，上虽貌从，心颇不悦，故刘从一、姜公辅皆自下陈登用，贽恩遇虽隆，未得为相。壬辰，车驾至梁州。山南地薄民贫，自安、史以来，盗贼攻剽，户口减耗太半，虽节制十五州，租赋不及中原数县。及大驾驻跸，粮用颇窘。上欲西幸成都，严震言于上曰：『山南地接京畿，李晟方图收复，借六军以为声援。若幸西川，则晟未有收复之期也。』众议未决，会李晟表至，言：『陛下驻跸汉中，所以系亿兆之心，成灭贼之势。若规小舍大，迁都岷、峨，则士庶失望，虽有猛将谋臣，无所施矣！』上乃止。严震百方以聚财赋，民不至困穷而供亿无乏。牙将严砺，震之从祖弟也，震使掌转饷，事甚修办。

初，奉天围既解，李楚琳遣使入贡，上不得已除凤翔节度使，而心恶之。议者言楚琳凶逆反覆，若不堤防，恐生窥伺。由是楚琳使者数辈至，上皆不引见，留之不遣。甫至汉中，欲以浑瑊代楚琳镇凤翔，陆贽上奏，以为：『楚琳杀帅助贼，其罪固大，但以乘舆未复，大憝犹存，勤王之师悉在畿内，急宣速告，晷刻是争。商岭则道迂且遥，骆谷复为盗所扼，仅通王命，唯在褒斜，此路若又阻艰，南北遂将夐绝。以诸镇危疑之势，居二逆诱胁之中，汹汹群情，各怀向背。倘或楚琳发憾，公肆猖狂，南塞要冲，东延巨猾，则我咽喉梗而心膂分矣。今楚琳能两端顾望，乃是天诱其衷，故通归涂，将济大业。陛下诚宜深以为念，厚加抚循，得其迟疑，便足集事。必欲精求素行，追抉宿疵，则是改过不足以补愆，自新不足以赎罪。凡今将吏，岂得尽无疵瑕，人皆省思，孰免疑畏！又况阻命之辈，胁从之流，自知负恩，安敢归化！斯衅非小，所宜速图。伏愿陛下思英主大略，勿以小不忍亏挠兴复之业也。』上释然开悟，善待楚琳使者，优诏存慰之。

丁酉，加宣武节度使刘洽同平章事。

己亥，以行在都知兵马使浑瑊同平章事兼朔方节度使，朔方、邠宁、振武、永平、

惠元就东，恐因此生辞，转难调息，且更俟旬时。』

辛酉，加王武俊同平章事兼幽州、卢龙节度使。

李晟以为：『怀光反状已明，缓急宜有备，蜀、汉之路不可壅，请以裨将赵光铣等为洋、利、剑三州刺史，各将兵五百以防未然。』上疑未决，欲亲总禁兵幸咸阳，以慰抚为名，趣诸将进讨。或谓怀光曰：『此汉祖游云梦之策也！』怀光大惧，反谋益甚。

上垂欲行，怀光辞益不逊，上犹疑谗人间之，甲子，加怀光太尉，增实食，赐铁券，遣神策右兵马使李卞等往谕旨。怀光对使者投铁券于地曰：『圣人疑怀光邪？人臣反，赐铁券；怀光不反，今赐铁券，是使之反也！』辞气甚悖。朔方左兵马使张名振当军门大呼曰：『太尉视贼不许击，待天使不敬，果欲反邪！功高太山，一旦弃之，自取族灭，富贵他人，何益哉！我今日必以死争之！』怀光闻之，谓曰：『我不反，以贼方强，故须蓄锐俟时耳。』怀光又言：『天子所居必有城隍。』乃发卒城咸阳，未几，移军据之。张名振曰：『乃者言不反，今日拔军此来，何也？何不攻长安，杀朱泚，取富贵，引军还邠邪？』怀光曰：『名振病心矣！』命左右引去，拉杀之。右武锋兵马使石演芬，本西域胡人，怀光养以为子。怀光潜与朱泚通谋，演芬遣其客郜成义诣行在告之，请罢其都统之权。成义至奉天，告怀光子璀。璀密白其父。怀光召演芬责之曰：『我以尔为子，奈何欲破我家！今日负我，死甘心乎？』演芬曰：『天子以太尉为股肱，太尉以演芬为心腹；太尉既负天子，演芬安得不负太尉乎！演芬胡人，不能异心，惟知事一人。苟免贼名而死，死甘心矣！』怀光使左右脔食之，皆曰：『义士也，可令快死！』以刀断其喉而去。

李卞等还，言怀光骄慢之状，于是行在始严门禁，从臣皆密装以待。乙丑，加李晟河中、同绛节度使。上犹以为薄，丙寅，又加同平章事。上将幸梁州，山南节度使盐亭严震闻之，遣使诣奉天奉迎，又遣大将张用诚将兵五千至盩厔以来迎卫。用诚为怀光所诱，阴与之通谋，上闻而患之。会震继遣牙将马勋奉表，上语之故。勋请：『亟诣梁州取严震符召用诚还府，若不受召，臣请杀之。』上喜曰：『卿何时复至此？』勋刻日时而去。既得震符，请壮士五人与之俱出骆谷。用诚不知事泄，以数百骑迎之，勋与之俱入驿。时天寒，勋多然藁火于驿外，军士皆往附火。勋乃从容出怀中符，以示用诚曰：『大夫召君。』用诚错愕起走，壮士自后执其手擒之。用诚子在勋后，斫伤勋首。壮士格杀其子，仆用诚于地，跨其腹，以刀拟其喉曰：『出声则死！』勋入其营，士卒已擐甲执兵矣。勋大言曰：『汝曹父母妻子皆在汉中，一朝弃之，与张用诚同反，于汝曹何利乎！大夫令我取用诚，不问汝曹，无自取族灭！』众皆詟服。勋送用诚诣梁州，震杖杀

之，命副将领其众。勋裹其首，复命于行在，愆期半日。

李怀光夜遣人袭夺李建徽、杨惠元军，建徽走免，惠元将奔奉天，怀光遣兵追杀之。怀光又宣言曰：『吾今与朱泚连和，车驾且当远避！』怀光以韩游瑰朔方将也，掌兵在奉天，与游瑰书，约使为变，游瑰密奏之。明日，又以书趣之，游瑰又奏之。上称其忠义，因问：『策安出？』对曰：『怀光总诸道兵，故敢恃众为乱。今邠宁有张昕，灵武有宁景璿，河中有吕鸣岳，振武有杜从政，潼关有唐朝臣，渭北有窦觎，皆守将也。陛下各以其地及其众授之，尊怀光之官，罢其权，则行营诸将各受本府指麾矣。怀光独立，安能为乱！』上曰：『罢怀光兵权，若朱泚何？』对曰：『陛下既许将士以克城殊赏，将士奉天子之命以讨贼取富贵，谁不愿之！邠府兵以万数，借使臣得而将之，足以诛泚。况诸道必有仗义之臣，泚不足忧也！』上然之。丁卯，怀光遣其将赵升鸾入奉天，约其夕使别将达奚小俊烧乾陵，令升鸾为内应以惊胁乘舆。升鸾诣浑瑊自言，瑊遽以闻，且请决幸梁州。上命瑊戒严，瑊出，部勒未毕，上已出城西，命戴休颜守奉天，朝臣将士狼狈扈从。戴休颜徇于军中曰：『怀光已反！』遂乘城拒守。

朱泚之称帝也，兵部侍郎刘乃卧病在家，泚召之，不起。使蒋镇自往说之，凡再往，知不可诱胁，乃叹曰：『镇亦忝列曹，不能舍生，以至于此，岂可复以己之腥臊污

漫贤者乎！』歔欷而返。乃闻帝幸山南，搏膺大呼，自投于床，不食，数日而卒。太子少师乔琳从上至盩厔，称老疾不堪山险，削发为僧，匿于仙游寺。泚闻之，召至长安，以为吏部尚书。于是朝士之窜匿者多出仕泚矣。

怀光遣其将孟保、惠静寿、孙福达将精骑趣南山邀车驾，遇诸军粮料使张增于盩厔。三将曰：『彼使我为不臣，我以追不及报之，不过不使我将耳。』因目增曰：『军士未朝食，如何？』增给其众曰：『此东数里有佛祠，吾贮粮焉。』三将帅众而东，纵之剽掠，由是百官从行者皆得入骆谷。以追不及还报，怀光皆黜之。

河东将王权、马汇引兵归太原。

李晟得除官制，拜哭受命，谓将佐曰：『长安，宗庙所在，天下根本，若诸将皆从行，谁当灭贼者！』乃治城隍，缮甲兵，为复京城之计。先是东渭桥有积粟十馀万斛，度支给李怀光军，几尽。是时怀光、朱泚连兵，声势甚盛，车驾南幸，人情扰扰。晟以孤军处二强寇之间，内无资粮，外无救援，徒以忠义感激将士，故其众虽单弱而锐气不衰。又以书遗怀光，辞礼卑逊，虽示尊崇而谕以祸福，劝之立功补过。故怀光惭恧，未忍击之。晟曰：『畿内虽兵荒之馀，犹可赋敛。宿兵养寇，患莫大焉！』乃以判官张彧假京兆尹，择四十馀人，假官以督渭北诸县刍粟，不旬日，皆充羡。乃流涕誓众，决志

朱滔攻贝州百餘日，马鸔攻魏州亦逾四旬，皆不能下。贾林复为李抱真说王武俊曰：『朱滔志吞贝、魏，复值田悦被害，倘旬日不救，则魏博皆为滔有矣，魏博既下，则张孝忠必为之臣。滔连三道之兵，益以回纥，进临常山，明公欲保其宗族，得乎！常山不守，则昭义退保西山，河朔尽入于滔矣。不若乘贝、魏未下，与昭义合兵救之。滔既破亡，则关中丧气，朱泚不日枭夷，銮舆反正，诸将之功，孰有居明公之右者哉！』武俊悦，从之。戊辰，武俊军于南宫东南，抱真自临洺引兵会之，与武俊营相拒十里。两军尚相疑，明日，抱真以数骑诣武俊营，宾客共谏止之，抱真命行军司马卢玄卿勒兵以俟，曰：『吾之此举，系天下安危，若其不还，领军事以听朝命亦惟子，励将士以雪仇耻亦惟子。』言终，遂行。武俊严备以待之，抱真见武俊，叙国家祸难，天子播迁，持武俊哭，流涕纵横。武俊亦悲不自胜，左右莫能仰视。遂与武俊约为兄弟，誓同灭贼。武俊曰：『相公十兄名高四海，向蒙开谕，得弃逆从顺，免菹醢之罪，享王公之荣。今又不间胡虏，辱为兄弟，武俊当何以为报乎！滔所恃者回纥耳，不足畏也。战日，愿十兄按辔临视，武俊决为十兄破之。』抱真退入武俊帐中，酣寝久之。武俊感激，待之益恭，指心仰天曰：『此身已许十兄死矣！』遂连营而进。

山南地热，上以军士未有春服，亦自御夹衣。

唐纪四十七 起阏逢困敦五月，尽旃蒙赤奋若七月，凡一年有奇。

德宗神武圣文皇帝六

兴元元年（甲子，公元七八四年）

五月，盐铁判官万年王绍以江、淮缯帛来至，上命先给将士，然后御衫。韩滉欲遣使献绫罗四十担诣行在，幕僚何士幹请行，滉喜曰：「君能相为行，请今日过江。」士幹许诺，归别家，则家之薪米储偫已罗门庭矣；登舟，则资装器用已充舟中矣。下至厕筹，滉皆手笔记列，无不周备。每担夫，与白金一版置腰间。又运米百艘以饷李晟，自负囊米至舟中，将佐争举之，须臾而毕。艘置五弩手以为防援，有寇则叩舷相警，五百弩已彀矣。比至渭桥，盗不敢近。时关中兵荒，米斗直钱五百，及滉米至，减五之四。滉为人强力严毅，自奉俭素，夫人常衣绢裙，破，然后易。

吐蕃既破韩旻等，大掠而去。朱泚使田希鉴厚以金帛赂之，吐蕃受之。韩游瑰以闻。浑瑊又奏：「尚结赞屡遣人约刻日共取长安，既而不至。闻其众今春大疫，近已引兵去。」上以李晟、浑瑊兵少，欲倚吐蕃以复京城，闻其去，甚忧之，以问陆贽。贽以为吐蕃贪狡，有害无益，得其引去，实可欣贺。乃上奏，其略曰：「吐蕃迁延观望，反

复多端，深入郊畿，阴受贼使，致令群帅进退忧虞；欲舍之独前，则虑其怀怨乘蹑；欲待之合势，则苦其失信稽延。戎若未归，寇终不灭。」又曰：「将帅意陛下不见信任，且患蕃戎之夺其功；士卒恐陛下不恤旧劳，而畏蕃戎之专其利；贼党惧蕃戎之胜，不死则悉遗人禽；百姓畏蕃戎之来，有财必尽为所掠。是以顺于王化者其心不得不怠，陷于寇境者其势不得不坚。」又曰：「今怀光别保蒲、绛，吐蕃远避封疆，形势既分，腹背无患，瑊、晟诸帅，才力得伸。」又曰：「但愿陛下慎于抚接，勤于砥砺，中兴大业，旬月可期，不宜尚眷眷于犬羊之群，以失将士之情也。」上复使谓贽曰：「卿言吐蕃形势甚善，然瑊、晟诸军当议规画，今其进取。朕欲遣使宣慰，卿宜审细条疏以闻。」贽以为：「贤君选将，委任责成，故能有功。况今秦、梁千里，兵势无常，遥为规画，未必合宜。彼违命则失君威，从命则害军事，进退羁碍，难以成功。不若假以便宜之权，待以殊常之赏，则将帅感悦，智勇得伸。」乃上奏，其略曰：「锋镝交于原野而决策于九重之中，机会变于斯须而定计于千里之外，用舍相碍，否臧皆凶。上有掣肘之讥，下无死绥之志。」又曰：「传闻与指实不同，悬算与临事有异。」又曰：「设使其中有肆情干命者，陛下能于此时戮其违诏之罪乎？是则违命者既不果行罚，从命者又未必合宜，徒费空言，只劳睿虑，匪惟无益，其损实多。」又曰：「君上之权，特异臣下，惟

不自用，乃能用人。」

癸酉，泾王侹薨。

徐、海、沂、密观察使高承宗卒，甲戌，使其子明应知军事。

乙亥，李抱真、王武俊距贝州三十里而军。朱滔闻两军将至，急召马寔，寔昼夜兼行赴之。或谓滔曰：「武俊善野战，不可当其锋，宜徙营稍前逼之，使回纥绝其粮道。我坐食德、棣之饵，依营而陈，利则进攻，否则入保，待其饥疲，然后可制也。」滔疑未决。会马寔军至，滔命明日出战。寔言：「军士冒暑困惫，请休息数日乃战。」常侍杨布、将军蔡雄引回纥达干见滔，达干曰：「回纥在国与邻国战，常以五百骑破邻国数千骑，如扫叶耳。今受大王金帛、牛酒前后无算，思为大王立效，此其时矣。明日，愿大王驻马高丘，观回纥为大王剪武俊之骑，使匹马不返。」布、雄曰：「大王英略盖世，举燕、蓟全军，将扫河南，清关中，今见小敌亢豫不击，失远近之望，将何以成霸业乎！达干请战是也。」滔喜，遂决意出战。丙子旦，武俊遣其兵马使赵琳将五百骑伏于桑林，抱真列方陈于后，武俊引骑兵居前，自当回纥。回纥纵兵冲之，武俊使其骑控马避之。回纥突出其后，将还，武俊乃纵兵击之，赵琳自林中出横击之，回纥败走。武俊急追之，滔骑兵亦走，自践其步陈，步骑皆东奔，滔不能制，遂走趣其营，抱真、武俊合兵追击之。时滔引三万人出战，死者万馀人，逃溃者亦万馀人，滔才与数千人入营坚守。会日暮，昏雾，两军不能进，抱真军其营之西北，武俊军其东北。滔夜焚营，引兵出南门，趣德州遁去，委弃所掠资财山积。两军以雾，不能追也。滔杀杨布、蔡雄而归幽州，心既内惭，又恐范阳留守刘怦因败图己。怦悉发留守兵来道二十里，具仪仗，迎之入府，相对悲喜，时人多之。

初，张孝忠以易州归国，诏以孝忠为义武节度使，以易、定、沧三州隶之。沧州刺史李固烈，李惟岳之妻兄也，请归恒州，孝忠遣押牙安喜程华交其州事。固烈悉取军府绫、缣、珍货数十车，将行，军士大噪曰：「刺史扫府库之实以行，将士于后饥寒，奈何！」遂杀固烈，屠其家。程华闻乱，自窦逃出，乱兵求得之，请知州事。华不得已，从之。孝忠闻之，即版华摄沧州刺史。华素宽厚，推心以待将士，将士安之。

会朱滔、王武俊叛，更遣人招华，华皆不从。时孝忠在定州，自沧如定，必过瀛州，瀛隶朱滔，道路阻涩。沧州录事参军李宇说华，表陈利害，请别为一军，华从之，遣宇奉表诣行在。上即以华为沧州刺史、横海军副大使、知节度事，赐名日华，令日华岁供义武租钱十二万缗。王武俊又使人说诱之，时军中乏马，日华给使者曰：「王大夫必欲相属，当以二百骑相助。」武俊给之，日华悉留其马，遣其士归。武俊怒，而方与

马燧等相拒，不能攻取，日华由是获全。及武俊归国，日华乃遣人谢过，偿其马价，且赂之。武俊喜，复与交好。

庚寅，李晟大陈兵，谕以收复京城。先是，姚令言等屡遣谍人觇晟进军之期，皆为逻骑所获。晟引示以所陈兵，谓曰：『归语诸贼，努力固守，勿不忠于贼也！』皆饮之酒，给钱而纵之。遂引兵至通化门外，耀武而还，贼不敢出。晟召诸将，问兵所从入，皆请『先取外城，据坊市，然后北攻宫阙。』晟曰：『坊市狭隘，贼若伏兵格斗，居人惊乱，非官军之利也。今贼重兵皆聚苑中，不若自苑北攻之，溃其腹心，贼必奔亡。如此，则宫阙不残，坊市无扰，策之上者也！』诸将皆曰：『善！』乃牒浑瑊及镇国节度使骆元光、商州节度使尚可孤，刻期集于城下。壬辰，尚可孤败泚将仇敬忠于蓝田西，斩之。乙未，李晟移军于光泰门外米仓村。丙申，晟方自临筑垒，泚骁将张庭芝、李希倩引兵大至，晟谓诸将曰：『始吾忧贼潜匿不出，今来送死，此天赞我，不可失也！』命副元帅兵马使吴诜等纵兵击之。时华州营在北，兵少，贼并力攻之，晟命牙前将李演等帅精兵救之。演等力战，贼败走。演等追之，乘胜入光泰门，再战，又破之。会夜，晟敛兵还。贼馀众走入白华门，夜，闻恸哭。希倩，希烈之弟也。丁酉，晟复出兵，诸将请待西师至，夹攻之。晟曰：『贼数败，已破胆，不乘胜取之，使其成备，非计也。』贼又出战，官军屡捷。骆元光败泚众于浐西。戊戌，晟陈兵于光泰门外，使李演及牙前兵马使王佖将骑兵，牙前将史万顷将步兵，直抵苑墙神麚村。晟先使人夜开苑墙二百馀步，比演等至，贼已树栅塞之，自栅中刺射官军，官军不得进。晟怒，叱诸将曰：『纵贼如此，吾先斩公辈矣！』万顷惧，帅众先进，拔栅而入，佖、演引骑兵继之，贼众大溃，诸军分道并入。姚令言等犹力战，晟命决胜军使唐良臣等步骑蹙之，且战且前，凡十馀合，贼不能支。至白华门，有贼数千骑出官军之背，晟帅百馀骑回御之，左右呼曰：『相公来！』贼皆惊溃。先是，泚遣张光晟将兵五千屯九曲，去东渭桥十馀里，光晟密输款于晟。及泚败，光晟劝泚出亡。泚乃与姚令言帅馀众西走，犹近万人。光晟送泚出城，还，降于晟。晟遣兵马使田子奇以骑兵追泚。晟屯含元殿前，舍于右金吾仗，令诸军曰：『晟赖将士之力，克清宫禁。长安士庶，久陷贼庭，若小有震惊，非吊民伐罪之意。晟与公等室家相见非晚，五日内无得通家信。』命京兆尹李齐运等安慰居人。晟大将高明曜取贼妓，尚可孤军士擅取贼马，晟皆斩之，军中股栗。公私安堵，秋毫无犯，远坊有经宿乃知官军入城者。是日，浑瑊、戴休颜、韩游瑰亦克咸阳，败贼三千馀众，闻泚西走，分兵邀之。

己亥，晟使京西兵马使孟涉屯白华门，尚可孤屯望仙门，骆元光屯章敬寺，晟以牙

前三千人屯安国寺，以镇京城。斩泚党李希倩、敬釭、彭偃等八人于市。

王武俊既破朱滔，还恒州，表让幽州、卢龙节度使，上许之。

六月，癸卯，李晟遣掌书记吴人于公异作露布上行在曰：『臣已肃清宫禁，祗谒寝园，钟簴不移，庙貌如故。』上泣下曰：『天生李晟，以为社稷，非为朕也。』晟在渭桥，荧惑守岁，久之乃退，宾佐皆贺，曰：『荧惑退舍，皇家之福也！宜速进兵。』晟曰：『天子野次，臣下知死敌而已。天象高远，谁得知之！』既克长安，乃谓之曰：『向非相拒也，吾闻五星赢、缩无常，万一复来守岁，吾军不战自溃矣！』皆谢曰：『非所及也！』

朱泚将奔吐蕃，其众随道散亡，比至泾州，才百馀骑。田希鉴闭门拒之，泚谓之曰：『汝之节，吾所授也。奈何临危相负！』使焚其门。希鉴取节投火中曰：『还汝节！』泚众皆哭。泾卒遂杀姚令言，诣希鉴降。泚独与范阳亲兵及宗族、宾客北趣驿马关，宁州刺史夏侯英拒之。至彭原西城屯，其将梁庭芬射泚坠坑中，韩旻等斩之，诣泾州降。源休、李子平奔凤翔，李楚琳斩之，皆传首行在。

上命陆贽草诏赐浑瑊，使访求奉天所失裹头内人。贽上奏，以为：『巨盗始平，疲瘵之民，疮痍之卒，尚未循拊，而首访妇人，非所以副惟新之望也。谋始尽善，克终已稀；始而不谋，终则何有！所赐瑊诏，未敢承旨。』上遂不降诏，竟遣中使求之。乙巳，诏吏部侍郎班宏充宣慰使，劳问将士，抚慰蒸黎。丙午，李晟斩文武官受朱泚宠任者崔宣、洪经纶等十馀人，又表守节不屈者刘乃、蒋沇等。己酉，以李晟为司徒、中书令，骆元光、尚可孤各迁官有差，以检校御史中丞田希鉴为泾原节度使。

诏改梁州为兴元府。

甲寅，以浑瑊为侍中，韩游瓌、戴休颜各迁官有差。

朱泚之败也，李忠臣奔樊川，擒获，丙辰，斩之。

上问陆贽：『今至凤翔有迎驾诸军。形势甚盛，欲因此遣人代李楚琳，何如？』贽上奏，以为：『如此则事同胁执，以言乎除乱则不武，以言乎务理则不诚，用是时巡，后将安入！议者或谓之权，臣窃未谕其理。夫权之为义，取类权衡，今辇路所经，首行胁夺，易一帅而亏万乘之义，得一方而结四海之疑，乃是重其所轻而轻其所重，谓之权也，不亦反乎！以反道为权，以任数为智，君上行之必失众，臣下用之必陷身，历代之所以多丧乱而长奸邪，由此误也。不如俟奠枕京邑，征授一官，彼喜于恩宥，将奔走不暇，安敢辄有旅拒，复劳诛锄哉！』戊午，车驾发汉中。

李晟综理长安以备百司，自请至凤翔迎扈，上不许。内常侍尹元贞奉使同华，辄诣

河中招谕李怀光。晟奏：『元贞矫制擅赦元恶，请理其罪！』

秋，七月，丙子，车驾至凤翔，斩乔琳、蒋镇、张光晟等。李晟以光晟虽臣贼，而灭贼亦颇有力，欲全之，上不许。

副元帅判官高郢数劝李怀光归款，怀光遣其子璀诣行在谢罪，请束身归朝。庚辰，诏遣给事中孔巢父赍先除怀光太子太保敕诣河中宣慰，朔方将士悉复官爵如故。

壬午，车驾至长安，浑瑊、韩游瑰、戴休颜以其众扈从，李晟、骆元光、尚可孤以其众奉迎，步骑十馀万，旌旗数十里，晟谒见上于三桥，先贺平贼，后谢收复之晚，伏路左请罪。上驻马慰抚，为之掩涕，命左右扶上马。至宫，每闲日，辄宴勋臣，赏赐丰渥。李晟为之首，浑瑊次之，诸将相又次之。

曹王皋遣其将伊慎、王锷围安州，李希烈遣其甥刘戒虚将步骑八千救之。皋遣别将李伯潜逆击之于应山，斩首千馀级。生擒戒虚，徇于城下，安州遂降。以伊慎为安州刺史，又击希烈将康叔夜于厉乡，走之。

丁亥，孔巢父至河中，李怀光素服待罪，巢父不之止。怀光左右多胡人，皆叹曰：『太尉无官矣！』巢父又宣言于众曰：『军中谁可代太尉领军者？』于是怀光左右发怒喧噪。宣诏未毕，众杀巢父及中使啖守盈，怀光亦不之止，复治兵为拒守之备。

辛卯，赦天下。

初，肃宗在灵武，上为奉节王，学文于李泌。代宗之世，泌居蓬莱书院，上为太子，亦与之游。及上在兴元，泌为杭州刺史，上急诏征之，与睦州刺史杜亚俱诣行在。乙未，以泌为左散骑常侍，亚为刑部侍郎，命泌日直西省以候对，朝野皆属目附之。上问泌：『河中密迩京城，朔方兵素称精锐，如达奚小俊等皆万人敌，朕昼夕忧之，奈何？』对曰：『天下事甚有可忧者，若惟河中，不足忧也。夫料敌者，料将不料兵。今怀光，将也；小俊之徒乃兵耳，何足为意！怀光既解奉天之围，视朱泚垂亡之虏不能取，乃与之连和，使李晟得取以为功。今陛下已还宫阙，怀光不束身归罪，乃虐杀使臣，鼠伏河中，如梦魇之人耳！但恐不日为帐下所枭，使诸将无以藉手也。』初，上发吐蕃以讨朱泚，许成功以伊西、北庭之地与之。及泚诛，吐蕃来求地，上欲召两镇节度使郭昕、李元忠还朝，以其地与之。李泌曰：『安西、北庭，人性骁悍，控制西域五十七国及十姓突厥，又分吐蕃之势，使不得并兵东侵，奈何拱手与之！且两镇之人，势孤地远，尽忠竭力，为国家固守近二十年，诚可哀怜。一旦弃之以与戎狄，彼其心必深怨中国，他日从吐蕃入寇，如报私仇矣。况日者吐蕃观望不进，阴持两端，大掠武功，受赂而去，何功之有！』众议亦以为然，上遂不与。

李希烈闻李希倩伏诛，忿怒，八月，壬寅，遣中使至蔡州杀颜真卿。中使曰：「有敕。」真卿再拜。中使曰：「今赐卿死。」真卿曰：「老臣无状，罪当死，不知使者几日发长安？」使者曰：「自大梁来，非长安也。」真卿曰：「然则贼耳，何谓敕邪！」遂缢杀之。

李晟以泾州倚边，屡害军帅，常为乱根，奏请往理不用命者，力田积粟以攘吐蕃。癸卯，以晟兼凤翔、陇右节度等使及四镇、北庭、泾原行营副元帅，进爵西平王。时李楚琳入朝，晟请与俱至凤翔斩之，以惩逆乱。上以新复京师，务安反仄，不许。先是，上命浑瑊、骆元光讨李怀光军于同州，怀光遣其将徐庭光以精卒六千军于长春宫以拒之，瑊等数为所败，不能进。时度支用度不给，议者多请赦怀光，上不许。李怀光遣其妹婿要廷珍守晋州，牙将毛朝敭守隰州，郑抗守慈州，马燧皆遣人说下之。上乃加浑瑊河中、绛州节度使，充河中、同华、陕虢行营副元帅，加马燧奉诚军、晋、慈、隰节度使，充管内诸军行营副元帅，与镇国节度使骆元光、鄜坊节度使唐朝臣合兵讨怀光。

初，王武俊急攻康日知于赵州，马燧奏请诏武俊与李抱真同击朱滔，以深、赵隶武俊，改日知为晋、慈、隰节度使，上从之。日知未至而三州降燧，故上使燧兼领之。燧表让三州于日知，且言因降而授，恐后有功者，踵以为常，上嘉而许之。燧遣使迎日知。既至，籍府库而归之。

甲辰，以凤翔节度使李楚琳为左金吾大将军。

丙午，加浑瑊朔方行营元帅。

李晟至凤翔，治杀张镒之罪，斩裨将王斌等十馀人。

朱滔为王武俊所攻，殆不能军，上表待罪。

癸未，马燧将步骑三万攻绛州。

度支以李怀光所部将士数万与怀光同反，不给冬衣，上曰：「朔方军累代忠义，今为怀光所制耳，将士何罪！」冬，十月，己亥，诏：「朔方及诸军在怀光所者，冬衣及赏钱皆当别贮，俟道路稍通，即时给之。」

李勉累表乞自贬，辛丑，罢勉都统、节度使，其检校司徒、同平章事如故。

丙辰，李怀光将阎晏寇同州，官军败于沙苑。诏征邠州之军，韩游瑰将甲士六千赴之。

乙丑，马燧拔绛州，分兵取闻喜、万泉、虞乡、永乐、猗氏。

初，鱼朝恩既诛，代宗不复使宦官典兵。上即位，悉以禁兵委白志贞，志贞得罪，上复以宦官窦文场代之，从幸山南，两军稍集。上还长安，颇忌宿将握兵多者，稍稍罢之。戊辰，以文场监神策军左厢兵马使，王希迁监右厢兵马使，始令宦官分典禁旅。

闰月，丙子，以泾原节度使田希鉴为卫尉卿。李晟初至凤翔，希鉴遣使参候，晟谓使者曰：「泾州逼近吐蕃，万一入寇，州兵能独御之乎？欲遣兵防援，又未知田尚书意。」使者归，以告希鉴，希鉴果请援兵，晟遣腹心将彭令英等戍泾州。晟寻托巡边诣泾州，希鉴出迎，晟与之并辔而入，道旧结欢。希鉴妻李氏，以叔父事晟，晟谓之田郎。晟命具三日食，曰：「巡抚毕，即还凤翔。」希鉴不复疑。晟置宴，希鉴与将佐俱诣晟营。晟伏甲于外庑，既食而饮，彭令英引泾州诸将下堂。晟曰：「我与汝曹久别，各宜自言姓名。」于是得为乱者石奇等三十余人，让之曰：「汝曹屡为逆乱，残害忠良，固天地所不容！」悉引出，斩之。希鉴尚在座，晟顾曰：「田郎亦不得无过，以亲知之故，当使身首得完。」希鉴曰：「唯。」遂引出，缢杀之，并其子萼。晟入其营，谕以诛希鉴之意，众股栗，无敢动者。

李希烈遣其将翟崇晖悉众围陈州，久之，不克。李澄知大梁兵少，不能制滑州，遂焚希烈所授旌节，誓众归国。甲午，以澄为汴滑节度使。

宋亳节度使刘洽遣马步都虞候刘昌与陇右、幽州行营节度使曲环等将兵三万救陈州，十一月，癸卯，败翟崇晖于州西，斩首三万五千级，擒崇晖以献。乘胜进攻汴州，李希烈惧，奔归蔡州。李澄引兵趣汴州，至城北，恇怯不敢进。刘洽兵至城东。戊午，李希烈守将田怀珍开门纳之。明日，澄入，舍于浚仪。两军之士，日有忿阋。会希烈郑州守将孙液降于澄，澄引兵屯郑州。诏以都统司马宝鼎薛珏为汴州刺史。李勉至长安，素服待罪。议者多以「勉失守大梁，不应尚为相。」李泌言于上曰：「李勉公忠雅正，而用兵非其所长。及大梁不守，将士弃妻子而从之者殆二万人，足以见其得众心矣。且刘洽出勉麾下，勉至睢阳，悉举其众以授之，卒平大梁，亦勉之功也。」上乃命勉复其位。议者又言：「韩滉闻銮舆在外，聚兵修石头城，阴蓄异志。」上疑之，以问李泌，对曰：「滉公忠清俭，自车驾在外，滉贡献不绝。且镇江东十五州，盗贼不起，皆滉之力也。所以修石头城者，滉见中原板荡，谓陛下将有永嘉之行，为迎扈之备耳。此乃人臣忠笃之虑，奈何更以为罪乎！滉性刚严，不附权贵，故多谤毁，愿陛下察之，臣敢保其无他。」上曰：「外议汹汹，章奏如麻，卿弗闻乎？」对曰：「臣固闻之。其子皋为考功员外郎，今不敢归省其亲，正以谤语沸腾故也。」上曰：「其子犹惧如此，卿奈何保之？」对曰：「滉之用心，臣知之至熟。愿上章明其无他，乞宣示中书，使朝众皆知之。」上曰：「朕方欲用卿，人亦何易可保！慎勿违众，恐并为卿累也。」泌退，遂上章，请以百口保滉。他日，上谓泌曰：「卿竟上章，已为卿留中。虽知卿与滉亲旧，岂得不自爱其身乎！』对曰：『臣岂肯私于亲旧以负陛下！顾滉实无异心，臣之上章，以为朝廷，非为身也。』上曰：『如何其为朝廷？』对曰：『今天下旱、蝗，关中米斗千钱，仓廪耗竭，而江东丰稔。愿陛下早下臣章以解朝众之惑，面谕韩皋使之归觐，令滉感激无自疑之心，速运粮储，岂非为朝廷邪？』上曰：『善！朕深谕之矣。』即下泌章，令韩皋谒告归觐，面赐绯衣，谕以『卿父比有谤言，朕今知其所以，释然不复信矣。』因言：『关中乏粮，归语卿父，宜速致之。』皋至润州，滉感悦流涕，即日，自临水滨发米百万斛，听皋留五日即还朝。皋别其母，啼声闻于外。滉怒，召出，挞之，自送至江上，冒风涛而遣之。既而陈少游闻滉贡米，亦贡二十万斛。上谓李泌曰：『韩滉乃能化陈少游贡米矣！』对曰：『岂惟少游，诸道将争入贡矣！』

吏部尚书、同平章事萧复奉使自江、淮还，与李勉、卢翰、刘从一俱见上。勉等退，复独留，言于上曰：『陈少游任兼将相，首败臣节，韦皋幕府下僚，独建忠义，请以皋代少游镇淮南，使善恶著明。』上然之。寻遣中使马钦绪揖刘从一，附耳语而去。诸相还阁。从一诣复曰：『钦绪宣旨，令从一与公议朝来所言事，即奏行之，勿令李、卢知。敢问何事也？』复曰：『唐、虞黜陟，岳牧佥谐。爵人于朝，与士共之。使李、卢不堪为相，则罢之。既在相位，朝廷政事，安得不与之同议而独隐此事乎！此最当今之大弊，朝来主上已有斯言，复已面陈其不可，不谓圣意尚尔。复不惜与公奏行之，但恐浸以成俗，未敢以告。』竟不以语从一。从一奏之，上愈不悦，复乃上表辞位，乙丑，罢为左庶子。刘治克汴州，得《李希烈起居注》，云『某月日，陈少游上表归顺。』少游闻之惭惧，发疾，十二月，乙亥，薨。赠太尉，赙祭如常仪。淮南大将王韶欲自为留后，令将士推己知军事，且欲大掠。韩滉遣使谓之曰：『汝敢为乱，吾即日全军渡江诛汝矣！』韶等惧而止。上闻之喜，谓李泌曰：『滉不惟安江东，又能安淮南，真大臣之器，卿可谓知人！』庚辰，加滉平章事、江淮转运使。滉运江、淮粟帛入贡府，无虚月，韩廷赖之，使者劳问相继，恩遇始深矣。

是岁蝗遍远近，草木无遗，惟不食稻，大饥，道殣相望。

贞元元年（乙丑，公元七八五年）

春，正月，丁酉朔，赦天下，改元。

癸丑，赠颜真卿司徒，谥曰文忠。

新州司马卢杞遇赦，移吉州长史，谓人曰：『吾必再入。』未几，上果用为饶州刺史。给事中袁高应草制，执以白卢翰、刘从一曰：『卢杞作相，致銮舆播迁，海内疮痍，奈何遽迁大郡！愿相公执奏。』翰等不从，更命他舍人草制。乙卯，制出，高执之

不下，且奏：『杞极恶穷凶，百辟疾之若仇，六军思食其肉，何可复用！』上不听。补阙陈京、赵需等上疏曰：『杞三年擅权，百揆失叙，天地神祇所知，华夏、蛮貊同弃。傥加巨奸之宠，必失万姓之心。』丁巳，袁高复于正牙论奏。上曰：『杞已再更赦。』高曰：『赦者止原其罪，不可为刺史。』陈京等亦争之不已，曰：『杞之执政，百官常如兵在其颈，今复用之，则奸党皆唾掌而起。』上大怒，左右辟易，谏者稍引却，京顾曰：『赵需等勿退，此国大事，当以死争之。』上怒稍解。戊午，上谓宰相：『与杞小州刺史，可乎？』李勉曰：『陛下欲与之，虽大州亦可，其如天下失望何！』壬戌，以杞为澧州别驾。使谓袁高曰：『朕徐思卿言，诚为至当。』又谓李泌曰：『朕已可袁高所奏。』泌曰：『累日外人窃议，比陛下于桓、灵；今承德音，乃尧、舜之不逮也！』上悦。杞竟卒于澧州。高，恕己之孙也。

三月，李希烈陷邓州。

戊午，以汴滑节度使李澄为郑滑节度使。

以代宗女嘉诚公主妻田绪。

李怀光都虞候吕鸣岳密通款于马燧，事泄，怀光杀之，屠其家。事连幕僚高郢、李鄘，怀光集将士而责之，郢、鄘抗言逆顺，无所惭隐，怀光囚之。鄘，邕之侄孙也。马燧军宝鼎，败怀光兵于陶城，斩首万馀级，分兵会浑瑊，逼河中。

夏，四月，丁丑，以曹王皋为荆南节度使，李希烈将李思登以随州降之。

壬午，马燧、浑瑊破李怀光兵于长春宫南，遂掘堑围宫城。怀光诸将相继来降。诏以燧、瑊为招抚使。

五月，丙申，刘治更名玄佐。

韩游瑰请兵于浑瑊，共取朝邑。李怀光将阎晏欲争之，士卒指邠军曰：『彼非吾父兄，则吾子弟，奈何以白刃相向乎！』语甚嚣。晏遽引兵去。怀光知众心不从，乃诈称欲归国，聚货财，饰车马，云俟路通入贡，由是得复逾旬月。

六月，辛巳，以刘玄佐兼汴州刺史。

辛卯，以金吾大将军韦皋为西川节度使。

朱滔病死，将士奉前涿州刺史刘怦知军事。

时连年旱、蝗，度支资粮匮竭，言事者多请赦李怀光。李晟上言：『赦怀光有五不可：河中距长安才三百里，同州当其冲，多兵则未为示信，少兵则不足提防，忽惊东偏，何以制之！一也；今赦怀光，必以晋、绛、慈、隰还之，浑瑊既无所诣，康日知又应迁移，土宇不安，何以奖励，二也；陛下连兵一年，讨除小丑，兵力未穷，遽赦其反

逆之罪；今西有吐蕃，北有回纥，南有淮西，皆观我强弱，不谓陛下施德泽，爱黎元，乃谓兵屈于人而自罢耳，必竞起窥觎之心。三也；怀光既赦，则朔方将士皆应叙勋行赏，今府库方虚，赏不满望，是愈激之使叛，四也；既解河中，罢诸道兵，赏典不举，怨言必起，五也。今河中斗米五百，刍藁且尽，墙壁之间，饿殍甚众。且其军中大将杀戮略尽，陛下但敕诸道围守旬时，彼必有内溃之变，何必养腹心之疾，为他日之悔！』又请发兵二万，自备资粮，独讨怀光。秋，七月，甲午朔，马燧自行营入朝，奏称：『怀光凶逆尤甚，赦之无以令天下，愿更得一月粮，必为陛下平之。』上许之。

陕虢都知兵马使达奚抱晖鸩杀节度使张劝，代总军务，邀求旌节，且阴召李怀光将达奚小俊为援。上谓李泌曰：『若蒲、陕连衡，则猝不可制。且抱晖据陕，则水陆之运皆绝矣。不得不烦卿一往。』辛丑，以泌为陕虢都防御水陆运使。上欲以神策军送泌之官，问『须几何人？』对曰：『陕城三面悬绝，攻之未可以岁月下也，臣请以单骑入之。』上曰：『单骑如何可入？』对曰：『陕城之人，不贯逆命，此特抱晖为恶耳。若以大兵临之，彼闭壁定矣。臣今单骑抵其近郊，彼举大兵则非敌，若遣小校来杀臣，未必不更为臣用也。且今河东全军屯安邑，马燧入朝，愿敕燧与臣同辞皆行，使陕人欲加害于臣，则畏河东移军讨之，此亦一势也。』上曰：『虽然，朕方大用卿，宁失陕州，不可失卿，当更使他人往耳。』对曰：『他人必不能入。今事变之初，众心未定，故可出其不意，夺其奸谋。他人犹豫迁延，彼既成谋，则不得前矣。』上许之。泌见陕州进奏官及将吏在长安者，语之曰：『主上以陕、虢饥，故不授泌节而领运使，欲令督江、淮米以赈之耳。陕州行营在夏县，若抱晖可用，当使将之。有功，则赐旌节矣。』抱晖觇者驰告之，抱晖稍自安。泌具以语白上曰：『欲使其士卒思米，抱晖思节，必不害臣矣。』上曰：『善！』戊申，泌与马燧俱辞行。庚戌，加泌陕虢观察使。泌出潼关，鄜坊节度使唐朝臣以步骑三千布于关外，曰：『奉密诏送公至陕。』泌曰：『辞日奉进止，以便宜从事。此一人不可相蹑而来，来则吾不得入陕矣。』唐臣以受诏不敢去，泌写宣以却之，因疾驱而前。抱晖不使将佐出迎，惟侦者相继。泌宿曲沃，将佐不俟抱晖之命来迎，泌笑曰：『吾事济矣！』去城十五里，抱晖亦出谒。泌称其摄事保完城隍之功，曰：『军中烦言，不足介意。公等职事皆按堵如故。』抱晖出而喜。泌既入城视事，宾佐有请屏人白事者。泌曰：『易帅之际，军中烦言，乃其常理，泌到，自妥帖矣，不愿闻也。』由是反仄者皆自安。泌但索簿书，治粮储。明日，召抱晖至宅，语之曰：『吾非爱汝而不诛，恐自今有危疑之地，朝廷所命将帅皆不能入，故丐汝馀生。汝为我赍版、币祭前使，慎无入关，自择安处，潜来取家，保无他也。』泌之辞行也，上籍陕将

预于乱者七十五人授泌，使诛之。泌既遣抱晖，日中，宣慰使至。泌奏『已遣抱晖，馀不足问。』上复遣中使诣陕，必使诛之。泌不得已，械兵马使林滔等五人送京师，恳请赦之。诏谪戍天德；岁馀，竟杀之。而抱晖遂亡命，不知所之。达奚小俊引兵至境，闻泌已入陕而还。

壬子，以刘怦为幽州、卢龙节度使。

大旱，灞、浐将竭，长安井皆无水。度支奏中外经费才支七旬。

资治通鉴卷第二百三十二

唐纪四十八 起旃蒙赤奋若八月，尽强圉单阏七月，凡二年。

德宗神武圣文皇帝七

贞元元年（乙丑，公元七八五年）

八月，甲子，诏凡不急之费及人冗食者皆罢之。

马燧至行营，与诸将谋曰：『长春宫不下，则怀光不可得。长春宫守备甚严，攻之旷日持久，我当身往谕之。』遂径造城下，呼怀光守将徐庭光，庭光帅将士罗拜城上。燧知其心屈，徐谓之曰：『我自朝廷来，可西向受命。』庭光等复西向拜。燧曰：『汝曹自禄山已来，徇国立功四十馀年，何忽为灭族之计！从吾言，非止免祸，富贵可图也。』众不对。燧披襟曰：『汝不信吾言，何不射我！』将士皆伏泣。燧曰：『此皆怀光所为，汝曹无罪。第坚守勿出。』皆曰：『诺。』壬申，燧与浑瑊、韩游瓌进逼河中，至焦篱堡。守将尉珪以七百人降。是夕，怀光举火，诸营不应。骆元光在长春宫下，使人招徐庭光。庭光素轻元光，遣卒骂之，又为优胡于城上以侮之，且曰：『我降汉将耳！』元光使白燧，燧还至城下，庭光开门降。燧以数骑入城慰抚，其众大呼曰：『吾辈复为王人矣！』浑瑊谓僚佐曰：『始吾谓马公用兵不吾远也，今乃知吾不逮多矣！』诏以庭光试殿中监兼御史大

夫。甲戌，燧帅诸军至河西，河中军士自相惊曰：『西城擐甲矣！』又曰：『东城娖队矣！』须臾，军士皆易其号为『太平』字。怀光不知所为，乃缢而死。初，怀光之解奉天围也，上以其子璀为监察御史，宠待甚厚。及怀光屯咸阳不进，璀密言于上曰：『臣父必负陛下，愿早为之备。臣闻君、父一也，但今日之势，陛下未能诛臣父，而臣父足以危陛下。陛下待臣厚，臣胡人，性直，故不忍不言耳。』上惊曰：『知卿大臣爱子，当为朕委曲弥缝，而密奏之！』对曰：『臣父非不爱臣，臣非不爱其父与宗族也；顾臣力竭，不能回耳。』上曰：『然则卿以何策自免？』对曰：『臣之进言，非苟求生，臣父败，则臣与之俱死矣，复有何策哉！使臣卖父求生，陛下亦安用之！』上曰：『卿勿死，为朕更至咸阳谕卿父，使君臣父子俱全，不亦善乎！』璀至咸阳而还，曰：『无益也，愿陛下备之，勿信人言。臣今往，说谕万方，臣父言：「汝小子何知！主上无信，吾非贪富贵也，直畏死耳，汝岂可陷吾入死地邪！」』及李泌赴陕，上谓之曰：『朕所以再三欲全怀光者，诚惜璀也。卿至陕，试为朕招之。』对曰：『陛下未幸梁、洋，怀光犹可降也。今则不然，岂有人臣迫逐其君，而可复立于其朝乎！纵彼颜厚无惭，陛下每视朝，何心见之！臣得入陕，借使怀光请降，臣不敢受，况招之乎！李璀固贤者，必与父俱死矣，若其不死，则亦无足贵也。』及怀光死，璀先刃其二弟，乃自杀。朔方将牛名俊断怀光首出降。河中兵犹

韩滉屡短元琇于上。庚申，崔造罢为右庶子，琇贬雷州司户。以吏部侍郎班宏为户部侍郎、度支副使。

韩游瑰奏请发兵攻盐州，吐蕃救之，则使河东袭其背。丙寅，诏骆元光及陈许兵马使韩全义将步骑万二千人会邠宁军，趣盐州，又命马燧以河东军击吐蕃。燧至石州，河曲六胡州皆降，迁于云、朔之间。

工部侍郎张彧，李晟之婿也。晟在凤翔，以女嫁幕客崔枢，礼重枢过于彧。彧怒，遂附于张延赏；给事中郑云逵尝为晟行军司马，失晟意，亦附延赏。上亦忌晟功名。会吐蕃有离间之言，延赏等腾谤于朝，无所不至。晟闻之，昼夜泣，目为之肿，悉遣子弟诣长安，表请削发为僧，上慰谕，不许。辛未，于朝，见上，自陈足疾，恳辞方镇，上不许。韩滉素与晟善，上命滉与刘玄佐谕旨于晟，使与延赏释怨。晟奉诏，滉等引延赏诣晟第谢，结为兄弟，因宴饮尽欢。又宴于滉、玄佐之第，亦如之。滉因使晟表荐延赏为相。

三年（丁卯，公元七八七年）

春，正月，壬寅，以左仆射张延赏同平章事。李晟为其子请婚于延赏，延赏不许。晟谓人曰：『武夫性快，释怨于杯酒间，则不复贮胸中矣。非如文士难犯，外虽和解，内蓄憾如故，吾得无惧哉！』

初，李希烈据淮西，选骑兵尤精者为左、右门枪、奉国四将，步兵尤精者为左、右克平十将。淮西少马，精兵皆乘骡，谓之骡军。陈仙奇举淮西降，才数月，诏发其兵于京西防秋。仙奇遣都知兵马使苏浦悉将淮西精兵五千人以行。会仙奇为吴少诚所杀，少诚密遣人召门枪兵马使吴法超等使引兵归。浦不之知。法超等引步骑四千自鄜州叛归，浑瑊使其将白娑勒追之，反为所败。丙午，上急遣中使敕陕虢观察使李泌发兵防遏，勿令济河。泌遣押牙唐英岸将兵趣灵宝，淮西兵已陈于河南矣。泌乃命灵宝给其食，淮西兵亦不敢剽掠。明日，宿陕西七里。泌不给其食，遣将将选士四百人分为二队，伏于太原仓之隘道，令之曰：『贼十队过，东伏则大呼击之，西伏亦大呼应之，勿遮道，勿留行，常让以半道，随而击之。』又遣虞侯集近村少年各持弓、刀、瓦石蹑贼后，闻呼亦应而追之。又遣唐英岸将千五百人夜出南门，陈于涧北。明日四鼓，淮西兵起行入隘，两伏发。贼众惊乱，且战且走，死者四之一。进遇唐英岸，邀而击之，贼众大败，擒其骡军兵马使张崇献。泌以贼必分兵自山路南遁，又遣都将燕子楚将兵四百自炭窦谷趣长水。贼二日不食，屡战皆败，英岸追至永宁东，贼皆溃入山谷。吴法超果帅其众太半趣长水，燕子楚击之，斩法超，杀其士卒三分之二。上以陕兵少，发神策军步骑五千往助泌，至赤水，闻贼已破

而还。上命刘玄佐乘驿归汴，以诏书缘道诱之，得百三十馀人，至汴州，尽杀之。其溃兵在道，复为村民所杀，得至蔡者，才四十七人。吴少诚以其少，悉斩之以闻。且遣使以币谢李泌，为其诛叛卒也。泌执张崇献等六十馀人送京师，诏悉腰斩于鄜州军门，以令防秋之众。

初，云南王閤罗凤陷嶲州，获西泸令郑回。回，相州人，通经术，閤罗凤爱重之。其子凤迦异及孙异牟寻、曾孙寻梦凑皆师事之，每授学，回得挞之。及异牟寻为王，以回为清平官。清平官者，蛮相也，凡有六人，而国事专决于回。五人者事回甚卑谨，有过，则回挞之。云南有众数十万，吐蕃每入寇，常以云南为前锋，赋敛重数，又夺其险要立城堡，岁征兵助防，云南苦之。回因说异牟寻复自归于唐，曰：『中国尚礼义，有惠泽，无赋役。』异牟寻以为然，而无路自致，凡十馀年。及西川节度使韦皋至镇，招抚境上群蛮，异牟寻潜遣人因群蛮求内附。皋奏：『今吐蕃弃好，暴乱盐、夏，宜因云南及八国生羌有归化之心招纳之，以离吐蕃之党，分其势。』上命皋先作边将书以谕之，微观其趣。

张延赏与齐映有隙，映在诸相中颇称敢言，上浸不悦。延赏言映非宰相器。壬子，映贬夔州刺史。刘滋罢为左散骑常侍，以兵部侍郎柳浑同平章事。韩滉性苛暴，方为上所任，言无不从，他相充位而已，百官群吏救过不赡。浑虽为滉所引荐，正色让之曰：『先相公以褊察为相，不满岁而罢，今公又甚焉。奈何榜吏于省中，至有死者！且作福作威，岂人臣所宜！』滉愧，为之少霁威严。

二月，壬戌，以检校左庶子崔浣充入吐蕃使。

戊寅，镇海节度使、同平章事、充江、淮转运使韩滉薨。滉久在二浙，所辟僚佐，各随其长，无不得人。尝有故人子谒之，考其能，一无所长，滉与之宴，竟席，未尝左右视及与并坐交言。后数日，署为随军，使监库门。其人终日危坐，吏卒无敢妄出入者。

分浙江东、西道为三：浙西，治润州；浙东，治越州；宣、歙、池，治宣州；各置观察使以领之。上以果州刺史白志贞为浙西观察使，柳浑曰：『志贞，憸人，不可复用。』会浑疾，不视事，辛巳，诏下，用之。浑疾间，遂乞骸骨，不许。

甲申，葬昭德皇后于靖陵。

三月，丁酉，以左庶子李铦充入吐蕃使。

初，吐蕃尚结赞得盐、夏州，各留千馀人戍之，退屯鸣沙。自冬入春，羊马多死。粮运不继，又闻李晟克摧沙，马燧、浑瑊等各举兵临之，大惧，屡遣使求和，上未之

许。乃遣使卑辞厚礼求和于马燧，且请修清水之盟而归侵地，使者相继于路。燧信其言，留屯石州，不复济河，为之请于朝。李晟曰：『戎狄无信，不如击之。』韩游瓌曰：『吐蕃弱则求盟，强则入寇，今深入塞内而求盟，此必诈也！』韩滉曰：『今两河无虞，若城原、鄯、洮、渭四州，使李晟、刘玄佐之徒将十万众戍之，河、湟二十馀州可复也。其资粮之费，臣请主办。』上由是不听燧计，趣使进兵。燧请与吐蕃使论颊热俱入朝论之，会滉薨，燧、延赏皆与晟有隙，欲反其谋，争言和亲便。上亦恨回纥，欲与吐蕃和，共击之，得二人言，正会己意，计遂定。延赏数言『晟不宜久典兵，请以郑云逵代之。』上曰：『当令自择代者。』乃谓晟曰：『朕以百姓之故，与吐蕃和亲决矣。大臣既与吐蕃有怨，不可复之凤翔，宜留朝廷，朝夕辅朕，自择一人可代凤翔者。』晟荐都虞候邢君牙。君牙，乐寿人也。丙午，以君牙为凤翔尹兼团练使。丁未，加晟太尉、中书令，勋、封如故；馀悉罢之。晟在凤翔，尝谓僚佐曰：『魏征好直谏，馀窃慕之。』行军司马李叔度曰：『此乃儒者所为，非勋德所宜。』晟敛容曰：『司马失言。晟任兼将相，知朝廷得失不言，何以为臣！』叔度惭而退。及在朝廷，上有所顾问，极言无隐。性沉密，未尝泄于人。

辛亥，马燧入朝。燧既来，诸军皆闭壁不战，尚结赞遽自鸣沙引归，其众乏马，多

徒行者。崔浣见尚结赞，责以负约。尚结赞曰：『吐蕃破朱泚，未获赏，是以来，而诸州各城守，无由自达。盐、夏守者以城授我而遁，非我取之也。今明公来，欲践修旧好，固吐蕃之愿也。今吐蕃将相以下来者二十一人，浑侍中尝与之共事，知其忠信。灵州节度使杜希全、泾原节度使李观皆信厚闻于异域，请使之主盟。』

夏，四月，丙寅，浣至长安。辛未，以浣为鸿胪卿，复使入吐蕃语尚结赞曰：『希全守灵，不可出境，李观已改官，今遣浑瑊盟于清水。』且令先归盐、夏二州。五月，甲申，浑瑊自咸阳入朝以为清水会盟使。戊子，以兵部尚书崔汉衡为副使，司封员外郎郑叔矩为判官，特进宋奉朝为都监。己丑，瑊将二万馀人赴盟所。乙巳，尚结赞遣其属论泣赞来言：『清水非吉地，请盟于原州之土梨树，既盟而归盐、夏二州。』上皆许之。神策将马有麟奏：『土梨树多阻险，恐吐蕃设伏兵，不如平凉川坦夷。』时论泣赞已还，丁未，遣使追告之。

申蔡留后吴少诚，缮兵完城，欲拒朝命，判官郑常、大将杨冀谋逐之，诈为手诏赐诸将申州刺史张伯元等。事泄，少诚杀常、冀、伯元。大将宋旻、曹济奔长安。

闰月，己未，韦皋复与东蛮和义王苴那时书，使诇伺导达云南。

庚申，大省州、县官员，收其禄以给战士，张延赏之谋也。时新除官千五百人，而

当减者千馀人，怨嗟盈路。

初，韩滉荐刘玄佐可使将兵复河、湟，上以问玄佐，玄佐亦赞成之。滉薨，玄佐奏言：『吐蕃方强，未可与争。』上遣中使劳问玄佐，玄佐卧而受命。张延赏知玄佐不可用，奏以河、湟事委李抱真，抱真亦固辞。皆由延赏罢李晟兵柄，故武臣皆愤怒解体，不肯为用故也。

上以襄、邓扼淮西冲要，癸亥，以荆南节度使曹王皋为山南东道节度使，以襄、邓、复、郢、安、随、唐七州隶之。

浑瑊之发长安也，李晟深戒之，以盟所为备不可不严。张延赏言于上曰：『晟不欲盟好之成，故戒瑊以严备。我有疑彼之形，则彼亦疑我矣，盟何由成！』上乃召瑊，切戒以推诚待虏，勿自为猜贰以阻虏情。瑊奏吐蕃决以辛未盟，延赏集百官，以瑊表称诏示之曰：『李太尉谓吐蕃和好必不成，此浑侍中表也，盟日定矣。』晟闻之，泣谓所亲曰：『吾生长西陲，备谙虏情，所以论奏，但耻朝廷为犬戎所侮耳！』

上始命骆元光屯潘原，韩游瑰屯洛口，以为瑊援。元光谓瑊曰：『潘原距盟所且七十里，公有急，元光何从知之！请与公俱。』瑊以诏指固止之。元光不从，与瑊连营相次，距盟所三十馀里。元光壕栅深固，瑊壕栅皆可逾也。元光伏兵于营西，韩游瑰亦遣五百骑伏于其侧，曰：『若有变，则汝曹西趣柏泉以分其势。』尚结赞与瑊约，各以甲士三千人列于坛之东西，常服者四百人从至坛下。辛未，将盟，尚结赞又请各遣游骑数十更相觇索，瑊皆许之。吐蕃伏精骑数万于坛西，游骑贯穿唐军，出入无禁。唐骑入虏军，悉为所擒，瑊等皆不知，入幕，易礼服。虏伐鼓三声，大噪而至，杀宋奉朝等于幕中。瑊自幕后出，偶得他马乘之，伏鬣入其衔，驰十馀里，衔方及马口，故矢过其背而不伤。唐将卒皆东走，虏纵兵追击，或杀或擒之，死者数百人，擒者千馀人，崔汉衡为虏骑所擒。浑瑊至其营，则将卒皆遁去，营空矣。骆元光发伏成陈以待之，虏追骑愕眙。瑊入元光营，追骑顾见邠宁军西驰，乃还。元光以辎重资瑊，与瑊收散卒，勒兵整陈而还。

是日上临朝，谓诸相曰：『今日和戎息兵，社稷之福。』马燧曰：『然。』柳浑曰：『戎狄，豺狼也，非盟誓可结。今日之事，臣窃忧之！』李晟曰：『诚如浑言。』上变色曰：『柳浑书生，不知边计；大臣亦为此言邪！』皆伏地顿首谢，因罢朝。是夕，韩游瑰表言：『虏劫盟者，兵临近镇。』上大惊，街递其表以示浑。明旦，谓浑曰：『卿书生，乃能料敌如此其审乎！』上欲出幸，以避吐蕃，大臣谏而止。

李晟大安园多竹，复有为飞语者，云『晟伏兵大安亭，谋因仓猝为变。』晟遂伐其

竹。

癸酉，上遣中使王子恒赍诏遗尚结赞，至吐蕃境，不纳而还。浑瑊留屯奉天。甲戌，尚结赞至故原，引见崔汉衡等曰：『吾饰金械，欲械瑊以献赞普。今失瑊，虚致公辈。』又谓马燧之侄弇曰：『胡以马为命，吾在河曲，春草未生，马不能举足，当是时，侍中渡河掩之，吾全军覆没矣！所以求和，蒙侍中力。今全军得归，奈何拘其子孙！』命弇与宦官俱文珍、浑瑊将马宁俱归。分囚崔汉衡等于河、廓、鄯州。上闻尚结赞之言，由是恶马燧。

六月，丙戌，以马燧为司徒兼侍中，罢其副元帅、节度使。初，吐蕃尚结赞恶李晟、马燧、浑瑊，曰：『去三人，则唐可图也。』于是离间李晟，因马燧以求和，欲执浑瑊以卖燧，使并获罪，因纵兵直犯长安，会失浑瑊而止。张延赏惭惧，谢病不视事。

以陕虢观察使李泌为中书侍郎、同平章事。

河东都虞候李自良从马燧入朝，上欲以为河东节度使，自良固辞曰：『臣事燧日久，不欲代之为帅。』乃以为右龙武大将军。明日，自良入谢，上谓之曰：『卿于马燧，存军中事分，诚为得礼。然北门之任，非卿不可。』卒以自良为河东节度使。

吐蕃之戍盐、夏者，馈运不继，人多病疫思归，尚结赞遣三千骑逆之，悉焚其庐舍，毁其城，驱其民而去。灵盐节度使杜希全遣兵分守之。

韦皋以云南颇知书，壬辰，自以书招谕之，令趣遣使入见。

李泌初视事，壬寅，与李晟、马燧、柳浑俱入见，上谓泌曰：『卿昔在灵武，已应为此官，卿自退让。朕今用卿，欲与卿有约，卿慎勿报仇，有恩者朕当为卿报之。』对曰：『臣素奉道，不与人为仇。李辅国、元载皆害臣者，今自毙矣。素所善及有恩者，率已显达，或多零落，臣无可报也。』上曰：『虽然，有小恩者，亦当报之。』对曰：『臣今日亦愿与陛下为约，可乎？』上曰：『何不可！』泌曰：『愿陛下勿害功臣。臣受陛下厚恩，固无形迹。李晟、马燧有大功于国，闻有谗之者，虽陛下必不听，然臣今日对二人言之，欲其不自疑耳。陛下万一害之，则宿卫之士，方镇之臣，无不愤惋而反仄，恐中外之变不日复生也！人臣苟蒙人主爱信则幸矣，官于何有！臣在灵武之日，未尝有官，而将相皆受臣指画；陛下以李怀光为太尉而怀光愈惧，遂至于叛。此皆陛下所亲见也。今晟、燧富贵已足，苟陛下坦然待之，使其自保无虞，国家有事则出从征伐，无事则入奉朝请，何乐如之！故臣愿陛下勿以二臣功大而忌之，二臣勿以位高而自疑，则天下永无事矣。』上曰：『朕始闻卿言，耸然不知所谓。及听卿剖析，乃知社稷之至计也！朕谨当书绅，二大臣亦当共保之。』晟、燧皆起，泣谢。上因谓泌曰：『自今凡

万六千人，燧斩其将阎晏等七人，馀皆不问。燧自辞行至河中平，凡二十七日。燧出高郢、李鄘于狱，皆奏置幕下。

韩游瑰之攻怀光也，杨怀宾战甚力，上命特原其子朝晟，游环遂以朝晟为都虞候。

上使问陆贽：「河中既平，复有何事所宜区处？」令悉条奏。贽以河中既平，虑必有希旨生事之人，以为王师所向无敌，请乘胜讨淮西者。李希烈必诱谕其所部及新附诸帅曰：「奉天息兵之旨，乃因窘急而言，朝廷稍安，必复诛伐。」如此，则四方负罪者孰不自疑，河朔、青齐固当响应，兵连祸结，赋役繁兴，建中之忧，行将复起。乃上奏，其略曰：「福不可以屡徼，幸不可以常觊。」又曰：「臣姑以生祸为忧，未敢以获福为贺。」又曰：「陛下怀悔过之深诚，降非常之大号，所在宣扬之际，闻者莫不涕流。假王叛换之夫，削伪号以请罪。观衅首鼠之将，一纯诚以效勤。」又曰：「暴讨之而愈叛，今释之而毕来。暴以百万之师而力殚，今以咫尺之诏而化洽。是则圣王之敷理道，服暴人，任德而不任兵，明矣；群帅之悖臣礼，拒天诛，图活而不图王，又明矣。是则好生以及物者，乃自生之方；施安以及物者，乃自安之术。挤彼于死地而求此之久生也，措彼于危地而求此之久安也，从古及今，未之有焉。」又曰：「一夫不率，阖境罹殃；一境不宁，普天致扰。」又曰：「亿兆污人，四三叛帅，感陛下自新之旨，悦陛下盛德之言，革面易辞，且修臣礼，其于深言密议固亦未尽坦然，必当聚心而谋，倾耳而听，观陛下所行之事，考陛下所誓之言。若言与事符，则迁善之心渐固；倘事与言背，则虑祸之态复兴。」又曰：「朱泚灭而怀光戮，怀光戮而希烈征，希烈倘平，祸将次及，则彼之蓄素疑而怀宿负者，能不为之动心哉！」又曰：「今皇运中兴，天祸将悔，以逆泚之偷居上国，以怀光之窃保中畿，岁未再周，相次枭殄，实众慝惊心之日，群生改观之时。威则已行，惠犹未洽。诚宜上副天眷，下收物情，布恤人之惠以济威，乘灭贼之威以行惠。」又曰：「臣所未敢保其必从，唯希烈一人而已。揆其私心，非不愿从也；想其潜虑，非不追悔也。但以猖狂失计，已窃大号，虽荷陛下全宥之恩，然不能不自觍于天地之间耳。纵未顺命，斯为独夫，内则无辞以起兵，外则无类以求助，其计不过厚抚部曲，偷容岁时，心虽陆梁，势必不致。陛下但敕诸镇各守封疆，彼既气夺算穷，是乃狴牢之类，不有人祸，则当鬼诛。古之不战而屈人之兵者，此之谓欤！」

丁卯，诏以「李怀光尝有功，宥其一男，使续其后，赐之田宅，归其首及尸使葬。加马燧兼侍中，浑瑊检校司空，馀将卒赏赉各有差。诸道与淮西连接者，宜各守封疆，非彼侵轶，不须进讨。李希烈若降，当待以不死，自馀将士百姓，一无所问。」

初，李晟尝将神策军戍成都，及还，以营妓高洪自随。西川节度使张延赏怒，追而

其度量，不敢犯也。

吐蕃游骑及好畤。乙巳，京城戒严，复遣左金吾将军张献甫屯咸阳。民间传言上复欲出幸以避吐蕃，齐映见上言曰：『外间皆言陛下已理装，具糗粮，人情恟惧。夫大福不再，陛下奈何不与臣等熟计之！』因伏地流涕，上亦为之动容。

李晟遣其将王佖将骁勇三千伏于汧城，戒之曰：『虏过城下，勿击其首；首虽败，彼全军而至，汝弗能当也。不若俟前军已过，见五方旗，虎豹衣，乃其中军也，出其不意击之，必大捷。』佖用其言，尚结赞败走。军士不识尚结赞，仅而获免。尚结赞谓其徒曰：『唐之良将，李晟、马燧、浑瑊而已，当以计去之。』入凤翔境内，无所俘掠，以兵二万直抵城下曰：『李令公召我来，何不出犒我！』经宿，乃引退。冬，十月，癸亥，李晟遣蕃落使野诗良辅与王佖将步骑五千袭吐蕃摧砂堡。壬申，遇吐蕃众二万，与战，破之，乘胜逐北，至堡下，攻拔之，斩其将扈屈律悉蒙，焚其蓄积而还。尚结赞引兵自宁、庆北去，癸酉，军于合水之北。邠宁节度使韩游瓌遣其将史履程夜袭其营，杀数百人。吐蕃追之，游瓌陈于平川，潜使人鼓于西山。虏惊，弃所掠而去。

十一月，甲午，立淑妃王氏为皇后。

乙未，韩滉入朝。

丁酉，皇后崩。

辛丑，吐蕃寇盐州，谓刺史杜彦光曰：『我欲得城，听尔率人去。』彦光悉众奔鄜州，吐蕃入据之。

刘玄佐在汴，习邻道故事，久未入朝。韩滉过汴，玄佐重其才望，以属吏礼谒之。滉相约为兄弟，请拜玄佐母。其母喜，置酒见之。酒半，滉曰：『弟何时入朝？』玄佐曰：『久欲入朝，但力未办耳。』滉曰：『滉力可及，弟宜早入朝。丈母垂白，不可使更帅诸妇女往填宫也！』母悲泣不自胜。滉乃遗玄佐钱二十万缗，备行装。滉留大梁三日，大出金帛赏劳，一军为之倾动。玄佐惊服，既而遣人密听之，滉问孔目吏，『今日所费几何？』诘责甚细。玄佐笑曰：『吾知之矣！』壬寅，玄佐与陈许节度使曲环俱入朝。

崔造改钱谷法，事多不集。诸使之职，行之已久，中外安之。元琇既失职，造忧惧成疾，不视事。既而江、淮运米大至，上嘉韩滉之功。十二月，丁巳，以滉兼度支、诸道盐铁、转运等使，造所条奏皆改之。

吐蕃又寇夏州，亦令刺史托跋乾晖帅众去，遂据其城。又寇银州，州素无城，吏民皆溃。吐蕃亦弃之，又陷麟州。

军旅粮储事，卿主之。吏、礼委延赏，刑法委浑。』泌曰：『不可。陛下不以臣不才，使待罪宰相。宰相之职，不可分也。非如给事则有吏过、兵过，舍人则有六押，至于宰相，天下之事咸共平章。若各有所主，是乃有司，非宰相也。』上笑曰：『朕适失辞，卿言是也。』泌请复所减州、县官。上曰：『置吏以为人也，今户口减于承平之时三分之二，而吏员更增，可乎！』对曰：『户口虽减，而事多于承平且十倍，吏得无增乎！且所减皆有职而冗官不减，此所以为未当也。至德以来置额外官，敌正官三分之一，若听使计日得资然后停，加两选授同类正员官。如此，则不惟不怨，兼使之喜矣。』又请诸王未出阁者不除府官，上皆从之。乙卯，诏先所减官，并复故。

初，张延赏在西川，与东川节度使李叔明有隙。上入骆谷，值霖雨，道涂险滑，卫士多亡归朱泚，叔明之子升及郭子仪之子曙，令狐彰之子建等六人，恐有奸人危乘舆，相与啮臂为盟，着行縢、钉鞵，更鞚上马以至梁州，他人皆不得近。及还长安，上皆以为禁卫将军，宠遇甚厚。张延赏知升私出入郜国大长公主第，密以白上。上谓李泌曰：『郜国已老，升年少，何为如是！殆必有故，卿宜察之。』泌曰：『此必有欲动摇东宫者。谁为陛下言之？』上曰：『卿勿问，第为朕察之。』泌曰：『必延赏也。』上曰：『何以知之？』泌具为上言二人之隙，且曰：『升承恩顾，典禁兵，延赏无以中伤，而郜国乃太子萧妃之母也，故欲以此陷之耳。』上笑曰：『是也。』泌因请除升他官，勿令宿卫以远嫌。

秋，七月，以升为詹事。郜国，肃宗之女也。

甲子，割振武之绥、银二州，以右羽林将军韩潭为夏、绥、银节度使，帅神策之士五千、朔方、河东之士三千镇夏州。

时关东防秋兵大集，国用不充。李泌奏：『自变两税法以来，藩镇、州、县多违法聚敛。继以朱泚之乱，争榷率、征罚以为军资，点募自防。泚既平，自惧违法，匿不敢言。请遣使以诏旨赦其罪，但令革正，自非于法应留使、留州之外，悉输京师。其官典逋负，可征者征之，难征者释之，以示宽大。敢有隐没者，重设告赏之科而罪之。』上喜曰：『卿策甚长，然立法太宽，恐所得无几！』对曰：『兹事臣固熟思之，宽则获多而速，急则获少而迟。盖以宽则人喜于免罪而乐输，急则竞为蔽匿，非推鞫不能得其实，财不足济今日之急而皆入于奸吏矣。』上曰：『善！』以度支员外郎元友直为河南、江、淮南句勘两税钱帛使。

初，河、陇既没于吐蕃，自天宝以来，安西、北庭奏事及西域使人在长安者，归路既绝，人马皆仰给于鸿胪。礼宾委府、县供之，于度支受直。度支不时付直，长安市肆

不胜其弊。李泌知胡客留长安久者，或四十馀年，皆有妻子，买田宅，举质取利，安居不欲归，命检括胡客有田宅者停其给。凡得四千人，将停其给。胡客皆诣政府诉之，泌曰：『此皆从来宰相之过，岂有外国朝贡使者留京师数十年不听归乎！今当假道于回纥，或自海道各遣归国，有不愿归，当于鸿胪自陈，授以职位，给俸禄为唐臣。人生当乘时展用，岂可终身客死邪！』于是胡客无一人愿归者，泌皆分隶神策两军，王子、使者为散兵马使或押牙，馀皆为卒，禁旅益壮。鸿胪所给胡客才十馀人，岁省度支钱五十万缗，市人皆喜。

上复问泌以复府兵之策。对曰：『今岁征关东卒戍京西者十七万人，计岁食粟二百四万斛。今粟斗直钱百五十，为钱三百六万缗。国家比遭饥乱，经费不充，就使有钱，亦无粟可籴，未暇议复府兵也。』上曰：『然则奈何？亟减戍卒归之，何如？』对曰：『陛下诚能用臣之言，可以不减戍卒，不扰百姓，粮食皆足，粟麦日贱，府兵亦成。』上曰：『苟能如是，何为不用！』对曰：『此须急为之，过旬日则不及矣。今吐蕃久居原、兰之间，以牛运粮，粮尽，牛无所用，请发左藏恶缯染为彩缬，因党项以市之，每头不过二三匹，计十八万匹，可致六万馀头。又命诸冶铸农器籴麦种，分赐沿边军镇，募戍卒，耕荒田而种之，约明年麦熟倍偿其种，其馀据时价五分增一，官为籴之。来春

种禾亦如之。关中土沃而久荒，所收必厚。戍卒获利，耕者浸多。边地居人至少，军士月食官粮，粟麦无所售，其价必贱，名为增价，实比今岁所减多矣。』上曰：『善！』即命行之。泌又言：『边地官多阙，请募人入粟以补之，可足今岁之粮。』上亦从之，因问曰：『卿言府兵亦集，如何？』对曰：『戍卒因屯田致富，则安于其土，不复思归。旧制，戍卒三年而代，及其将满，下令有愿留者，即以所开田为永业。家人愿来者，本贯给长牒续食而遣之。据应募之数，移报本道，虽河朔诸帅得免更代之烦，亦喜闻矣。不过数番，则戍卒皆土著，乃悉以府兵之法理之，是变关中之疲弊为富强也。』上喜曰：『如此，天下无复事矣。』泌曰：『未也。臣能不用中国之兵使吐蕃自困。』上曰：『计将安出？』对曰：『臣未敢言之，俟麦禾有效，然后可议也。』上固问，不对。泌意欲结回纥、大食、云南与共图吐蕃，令吐蕃所备者多。知上素恨回纥，恐闻之不悦，并屯田之议不行，故不肯言。既而戍卒应募，愿耕屯田者什五六。

壬申，赐骆元光姓名李元谅。

左仆射、同平章事张延赏薨。

资治通鉴卷第二百三十三

唐纪四十九 起强圉单阏八月，尽重光协洽，凡四年有奇。

德宗神武圣文皇帝八

贞元三年（丁卯，公元七八七年）

八月，辛巳朔，日有食之。

吐蕃尚结赞遣五骑送崔汉衡归，且上表求和。至潘原，李观语之以「有诏不纳吐蕃使者」，受其表而却其人。

初，兵部侍郎、同平章事柳浑与张延赏俱为相，浑议事数异同，延赏使所亲谓曰：「相公旧德，但节言于庙堂，则重位可久。」浑曰：「为吾谢张公，柳浑头可断，舌不可禁！」由是交恶。上好文雅缊藉，而浑质直轻侻，无威仪，于上前时发俚语。上不悦，欲黜为王府长史，李泌言：「浑褊直无他。故事，罢相无为长史者。」又欲以为王傅，泌请以为常侍，上曰：「苟得罢之，无不可者。」己丑，浑罢为左散骑常侍。

初，郜国大长公主适驸马都尉萧升。升，复之从兄弟也。公主不谨，詹事李升、蜀州别驾萧鼎、彭州司马李万、丰阳令韦恪，皆出入主第。主女为太子妃，始者上恩礼甚厚，主常直乘肩舆抵东宫。宗戚皆疾之。或告主淫乱，且为厌祷。上大怒，幽主于禁中，切责太子。太子不知所对，请与萧妃离婚。上召李泌告之，且曰：「舒王近已长立，孝友温仁。」泌曰：「何至于是！陛下惟有一子，奈何一旦疑之，欲废之而立侄，得无失计乎！」上勃然怒曰：「卿何得间人父子！谁语卿舒王为侄者？」对曰：「陛下自言之。大历初，陛下语臣，『今日得数子』。臣请其故，陛下言『昭靖诸子，主上令吾子之』。今陛下所生之子犹疑之，何有于侄！舒王虽孝，自今陛下宜努力，勿复望其孝矣！」上曰：「卿不爱家族乎？」对曰：「臣惟爱家族，故不敢不尽言。若畏陛下盛怒而为曲从，陛下明日悔之，必尤臣云：『吾独任汝为相，不力谏，使至此，必复杀而子。』臣老矣，馀年不足惜，若冤杀臣子，使臣以侄为嗣，臣未知得歆其祀乎！」因呜咽流涕。上亦泣曰：「事已如此，使朕如何而可？」对曰：「此大事，愿陛下审图之。臣始谓陛下圣德，当使海外蛮夷皆戴之如父母，岂谓自有子而疑之至此乎！臣今尽言，不敢避忌讳。自古父子相疑，未有不亡国覆家者。陛下记昔在彭原，建宁何故而诛？」上曰：「建宁叔实冤，肃宗性急，谮之者深耳！」泌曰：「臣昔以建宁之故，固辞官爵，誓不近天子左右。不幸今日复为陛下相，又睹兹事。臣在彭原，承恩无比，竟不敢言建宁之冤，及临辞乃言之，肃宗亦悔而泣。先帝自建宁之死，常怀危惧，臣亦为先帝诵《黄台瓜辞》以防谗构之端。」上曰：「朕固知之。」意色稍解，乃曰：「贞观、开元

不胜其弊。李泌知胡客留长安久者，或四十馀年，皆有妻子，买田宅，举质取利，安居不欲归，命检括胡客有田宅者停其给。凡得四千人，将停其给。胡客皆诣政府诉之，泌曰：『此皆从来宰相之过，岂有外国朝贡使者留京师数十年不听归乎！今当假道于回纥，或自海道各遣归国，有不愿归，当于鸿胪自陈，授以职位，给俸禄为唐臣。人生当乘时展用，岂可终身客死邪！』于是胡客无一人愿归者，泌皆分隶神策两军，王子、使者为散兵马使或押牙，馀皆为卒，禁旅益壮。鸿胪所给胡客才十馀人，岁省度支钱五十万缗，市人皆喜。

上复问泌以复府兵之策。对曰：『今岁征关东卒戍京西者十七万人，计岁食粟二百四万斛。今粟斗直钱百五十，为钱三百六万缗。国家比遭饥乱，经费不充，就使有钱，亦无粟可籴，未暇议复府兵也。』上曰：『然则奈何？亟减戍卒归之，何如？』对曰：『陛下诚能用臣之言，可以不减戍卒，不扰百姓，粮食皆足，粟麦日贱，府兵亦成。』上曰：『苟能如是，何为不用！』对曰：『此须急为之，过旬日则不及矣。今吐蕃久居原、兰之间，以牛运粮，粮尽，牛无所用，请发左藏恶缯染为彩缬，因党项以市之，每头不过二三匹，计十八万匹，可致六万馀头。又命诸冶铸农器籴麦种，分赐沿边军镇，募戍卒，耕荒田而种之，约明年麦熟倍偿其种，其馀据时价五分增一，官为籴之。来春种禾亦如之。关中土沃而久荒，所收必厚。戍卒获利，耕者浸多。边地居人至少，军士月食官粮，粟麦无所售，其价必贱，名为增价，实比今岁所减多矣。』上曰：『善！』即命行之。泌又言：『边地官多阙，请募人入粟以补之，可足今岁之粮。』上亦从之，因问曰：『卿言府兵亦集，如何？』对曰：『戍卒因屯田致富，则安于其土，不复思归。旧制，戍卒三年而代，及其将满，下令有愿留者，即以所开田为永业。家人愿来者，本贯给长牒续食而遣之。据应募之数，移报本道，虽河朔诸帅得免更代之烦，亦喜闻矣。不过数番，则戍卒皆土著，乃悉以府兵之法理之，是变关中之疲弊为富强也。』上喜曰：『如此，天下无复事矣。』泌曰：『未也。臣能不用中国之兵使吐蕃自困。』上曰：『计将安出？』对曰：『臣未敢言之，俟麦禾有效，然后可议也。』上固问，不对。泌意欲结回纥、大食、云南与共图吐蕃，令吐蕃所备者多。知上素恨回纥，恐闻之不悦，并屯田之议不行，故不肯言。既而戍卒应募，愿耕屯田者什五六。

壬申，赐骆元光姓名李元谅。

左仆射、同平章事张延赏薨。

军旅粮储事，卿主之。吏、礼委延赏，刑法委浑。」泌曰：「不可。陛下不以臣不才，使待罪宰相。宰相之职，不可分也。非如给事则有吏过、兵过，舍人则有六押，至于宰相，天下之事咸共平章。若各有所主，是乃有司，非宰相也。」上笑曰：「朕适失辞，卿言是也。」泌请复所减州、县官。上曰：「置吏以为人也，今户口减于承平之时三分之二，而吏员更增，可乎！」对曰：「户口虽减，而事多于承平且十倍，吏得无增乎！且所减皆有职而冗官不减，此所以为未当也。至德以来置额外官，敌正官三分之一，若听使计日得资然后停，加两选授同类正员官。如此，则不惟不怨，兼使之喜矣。」又请诸王未出阁者不除府官，上皆从之。乙卯，诏先所减官，并复故。

初，张延赏在西川，与东川节度使李叔明有隙。上入骆谷，值霖雨，道涂险滑，卫士多亡归朱泚，叔明之子升及郭子仪之子曙，令狐彰之子建等六人，恐有奸人危乘舆，相与啮臂为盟，着行縢、钉鞵，更鞚上马以至梁州，他人皆不得近。及还长安，上皆以为禁卫将军，宠遇甚厚。张延赏知升私出入郜国大长公主第，密以白上。上谓李泌曰：「郜国已老，升年少，何为如是！殆必有故，卿宜察之。」泌曰：「此必有欲动摇东宫者。谁为陛下言之？」上曰：「卿勿问，第为朕察之。」泌曰：「必延赏也。」上曰：「何以知之？」泌具为上言二人之隙，且曰：「升承恩顾，典禁兵，延赏无以中伤，

而郜国乃太子萧妃之母也，故欲以此陷之耳。」上笑曰：「是也。」泌因请除升他官，勿令宿卫以远嫌。

秋，七月，以升为詹事。郜国，肃宗之女也。

甲子，割振武之绥、银二州，以右羽林将军韩潭为夏、绥、银节度使，帅神策之士五千、朔方、河东之士三千镇夏州。

时关东防秋兵大集，国用不充。李泌奏：「自变两税法以来，藩镇、州、县多违法聚敛。继以朱泚之乱，争榷率、征罚以为军资，点募自防。泚既平，自惧违法，匿不敢言。请遣使以诏旨赦其罪，但令革正，自非于法应留使、留州之外，悉输京师。其官典逋负，可征者征之，难征者释之，以示宽大。敢有隐没者，重设告赏之科而罪之。」上喜曰：「卿策甚长，然立法太宽，恐所得无几！」对曰：「兹事臣固熟思之，宽则获多而速，急则获少而迟。盖以宽则人喜于免罪而乐输，急则竞为蔽匿，非推鞫不能得其实，财不足济今日之急而皆入于奸吏矣。」上曰：「善！」以度支员外郎元友直为河南、江、淮南句勘两税钱帛使。

初，河、陇既没于吐蕃，自天宝以来，安西、北庭奏事及西域使人在长安者，归路既绝，人马皆仰给于鸿胪。礼宾委府、县供之，于度支受直。度支不时付直，长安市肆

止之，委任如初。游瑰又械送钦绪二子，上亦宥之。

吐蕃以苦寒不入寇，而粮运不继。十一月，诏浑瑊归河中，李元谅归华州，刘昌分其众五千归汴州，自馀防秋兵退屯凤翔、京兆诸县以就食。

十二月，韩游瑰入朝。

自兴元以来，至是岁最为丰稔，米斗直钱百五十、粟八十，诏所在和籴。庚辰，上畋于新店，入民赵光奇家，问：「百姓乐乎？」对曰：「不乐。」上曰：「今岁颇稔，何为不乐？」对曰：「诏令不信。前云两税之外悉无他徭，今非税而诛求者殆过于税。后又云和籴，而实强取之，曾不识一钱。始云所籴粟麦纳于道次，今则遣致京西行营，动数百里，车摧牛毙，破产不能支。愁苦如此，何乐之有！每有诏书优恤，徒空文耳！恐圣主深居九重，皆未知之也！」上命复其家。

臣光曰：甚矣唐德宗之难寤也！自古所患者，人君之泽壅而不下达，小民之情郁而不上通；故君勤恤于上而民不怀，民愁怨于下而君不知，以至于离叛危亡，凡以此也。德宗幸以游猎得至民家，值光奇敢言而知民疾苦，此乃千载之遇也。固当按有司之废格诏书，残虐下民，横增赋敛，盗匿公财，及左右谄谀日称民间丰乐者而诛之。然后洗心易虑，一新其政，屏浮饰，废虚文，谨号令，敦诚信，察真伪，辨忠邪，矜困穷，伸冤滞，则太平之业可致矣。释此不为，乃复光奇之家。夫以四海之广，兆民之众，又安得人人自言于天子而户户复其徭赋乎！

李泌以李软奴之党犹有在北军未发者，请大赦以安之。

四年（戊辰，公元七八八年）

春，正月，庚戌朔，赦天下，诏两税等第，自今三年一定。

李泌奏京官俸太薄，请自三师以下悉倍其俸。从之。

壬申，以宣武行营节度使刘昌为泾原节度使。甲戌，以镇国节度使李元谅为陇右节度使。昌、元谅，皆帅卒力田，数年，军食充羡，泾、陇稍安。

韩游瑰之入朝也，军中以为必不返，饯送甚薄。游瑰见上，盛陈筑丰义城可以制吐蕃；上悦，遣还镇。军中忧惧者众，游瑰忌都虞候虞乡范希朝有功名，得众心，求其罪，将杀之。希朝奔凤翔，上召之，置于左神策军。游瑰帅众筑丰义城，二版而溃。

二月，元友直运淮南钱帛二十万至长安，李泌悉输之大盈库。然上犹数有宣索，仍敕诸道勿令宰相知。泌闻之，惆怅而不敢言。

臣光曰：王者以天下为家，天下之财皆其有也。阜天下之财以养天下之民，已必豫焉。或乃更为私藏，此匹夫之鄙志也。古人有言曰：贫不学俭。夫多财者，奢

欲之所自来也。李泌欲弭德宗之欲而丰其私财，财丰则欲滋矣。财不称欲，能无求乎！是犹启其门而禁其出也！虽德宗之多僻，亦泌所以相之者非其道故也。

咸阳人或上言：「臣见白起，令臣奏云：『请为国家捍御西陲。正月，吐蕃必大下，当为朝廷破之以取信。』」既而吐蕃入寇，边将败之，不能深入。上以为信然，欲于京城立庙，赠司徒，李泌曰：「臣闻『国将兴，听于人。』今将帅立功而陛下褒赏白起，臣恐边臣解体矣！若立庙京城，盛为祈祷，流闻四方，将长巫风。今杜邮有旧祠，请敕府县葺之，则不至惊人耳目矣。且白起列国之将，赠三公太重，请赠兵部尚书可矣。」上笑曰：「卿于白起亦惜官乎！」对曰：「人神一也。陛下倘不之惜，则神亦不以为荣矣。」上从之。泌自陈衰老，独任宰相，精力耗竭，既未听其去，乞更除一相。上曰：「朕深知卿劳苦，但未得其人耳。」上从容与泌论即位以来宰相，曰：「卢杞忠清强介，人言杞奸邪，朕殊不觉其然。」泌曰：「人言杞奸邪而陛下独不觉其奸邪，此乃杞之所以为奸邪也。倘陛下觉之，岂有建中之乱乎！杞以私隙杀杨炎，挤颜真卿于死地，激李怀光使叛，赖陛下圣明窜逐之，人心顿喜，天亦悔祸。不然，乱何由弭！」上曰：「杨炎以童子视朕，每论事，朕可其奏则悦，与之往复问难，即怒而辞位，观其意以朕为不足与言故也。以是交不可忍，非由杞也。建中之乱，术士豫请城奉天，此盖天命，非杞所能致也！」泌曰：「天命，他人皆可以言之，惟君相不可言。盖君相所以造命也。若言命，则礼乐刑政皆无所用矣。纣曰：『我生不有命在天！』此商之所以亡也！」上曰：「朕好与人较量理体：崔祐甫性褊躁，朕难之，则应对失次，朕常知其短而护之。杨炎论事亦有可采，而气色粗傲，难之辄勃然怒，无复君臣之礼，所以每见令人忿发。余人则不敢复言。卢杞小心，朕所言无不从。又无学，不能与朕往复，故朕所怀常不尽也。」对曰：「杞言无不从，岂忠臣乎！夫『言而莫予违』，此孔子所谓『一言丧邦』者也！」上曰：「惟卿则异彼三人者。朕言当，卿有喜色；不当，常有忧色。虽时有逆耳之言，如向来纣及丧邦之类。朕细思之，皆卿先事而言，如此则理安，如彼则危乱，言虽深切而气色和顺，无杨炎之陵傲。朕问难往复，卿辞理不屈，又无好胜之志，直使朕中怀已尽屈服而不能不从，此朕所以私喜于得卿也。」泌曰：「陛下所用相尚多，今皆不论，何也？」上曰：「彼皆非所谓相也。凡相者，必委以政事，如玄宗时牛仙客、陈希烈，可以谓之相乎！如肃宗、代宗之任卿，虽不受其名，乃真相耳。必以官至平章事为相，则王武俊之徒皆相也。」

刘昌复筑连云堡。

夏，四月，乙未，更命殿前左、右射生曰神威军，与左、右羽林、龙武、神武、神

策号曰十军。神策尤盛，多戍京西，散屯畿甸。

福建观察使吴诜，轻其军士脆弱，苦役之。军士作乱，杀诜腹心十馀人，逼诜牒大将郝诚溢掌留务。诚溢上表请罪，上遣中使就赦以安之。

乙未，陇右节度使李元谅筑良原故城而镇之。

云南王异牟寻欲内附，未敢自遣使，先遣其东蛮鬼主骠旁、苴梦冲、苴乌星入见。五月，乙卯，宴之于麟德殿，赐赉甚厚，封王给印而遣之。

辛未，以太子宾客吴凑为福建观察使，贬吴诜为涪州刺史。

吐蕃三万馀骑寇泾、邠、宁、庆、鄜等州。先是，吐蕃常以秋冬入寇，及春多病疫而退。至是得唐人，质其妻子，遣其将将之，盛夏入寇。诸州皆城守，无敢与战者，吐蕃俘掠人畜万计而去。

夏县人阳城以学行著闻，隐居柳谷之北，李泌荐之。六月征拜谏议大夫。

韩游瑰以吐蕃犯塞，自戍宁州。病，求代归。秋，七月，庚戌，加浑瑊邠宁副元帅，以左金吾将军张献甫为邠宁节度使，陈许兵马使韩全义为长武城行营节度使。献甫未至，壬子夜，游瑰不告于众，轻骑归朝。戍卒裴满等惮献甫之严，乘无帅之际，癸丑，帅其徒作乱，曰：『张公不出本军，我必拒之。』因剽掠城市，围监军杨明义所居，使奏请范希朝为节度使。都虞侯杨朝晟避乱出城，闻之，复入，曰：『所请甚契我心，我来贺也！』乱卒稍安。朝晟潜与诸将谋，晨勒兵，召乱卒谓曰：『所请不行，张公已至邠州，汝曹作乱当死，不可尽杀，宜自推列唱帅者。』遂斩二百馀人，帅众迎献甫。上闻军众欲得范希朝，将授之。希朝辞曰：『臣畏游瑰之祸而来，今往代之，非所以防窥覦，安反仄也。』上嘉之，擢为宁州刺史，以副献甫。游瑰至京师，除右龙武统军。

振武节度使唐朝臣不严斥候，己未，奚、室韦寇振武，执宣慰中使二人，大掠人畜而去。时回纥之众逆公主者在振武，朝臣遣七百骑与回纥数百骑追之，回纥使者为奚、室韦所杀。

九月，庚申，吐蕃尚志董星寇宁州，张献甫击却之。吐蕃转掠鄜、坊而去。

元友直句检诸道税外物，悉输户部，遂为定制，岁于税外输百馀万缗、斛，民不堪命。诸道多自诉于上，上意寤，诏：『今年已入在官者输京师，未入者悉以与民；明年以后，悉免之。』于是东南之民复安其业。

回纥合骨咄禄可汗得唐许婚，甚喜，遣其妹骨咄禄毗伽公主及大臣妻并国相、跌跌都督以下千馀人来迎可敦，辞礼甚恭，曰：『昔为兄弟，今为子婿，半子也。若吐蕃为患，子当为父除之！』因詈辱吐蕃使者以绝之。冬，十月，戊子，回纥至长安，可汗仍

事为辞，实专大政，多引亲党置要地，使为耳目。董晋充位而已。然晋为人重慎，所言于上前者未尝泄于人，子弟或问之，晋曰：『欲知宰相能否，视天下安危。所谋议于上前者，不足道也。』

三月，甲辰，李泌薨。泌有谋略而好谈神仙诡诞，故为世所轻。

初，上思李怀光之功，欲宥其一子，而子孙皆已伏诛。戊辰，诏以怀光外孙燕八八为怀光后，赐姓名李承绪，除左卫率胄曹参军，赐钱千缗，使养怀光妻王氏及守其墓祀。

冬，十月，韦皋遣其将王有道将兵与东蛮、两林蛮及吐蕃青海、腊城二节度战于嶲州台登谷，大破之，斩首二千级，投崖及溺死者不可胜数，杀其大兵马使乞藏遮遮。乞藏遮遮，虏之骁将也，既死，皋所攻城栅无不下。数年，尽复嶲州之境。

易定节度使张孝忠兴兵袭蔚州，驱掠人畜。诏书责之，逾旬还镇。

琼州自乾封中为山贼所陷，至是，岭南节度使李复遣判官姜孟京与崖州刺史张少迁攻拔之。

十二月，庚午，闻回鹘天亲可汗薨，戊寅，遣鸿胪卿郭锋册命其子为登里罗没密施俱禄忠贞毗伽可汗。先是，安西、北庭皆假道于回鹘以奏事，故与之连和。北庭去回鹘

犹近，回鹘诛求无厌，又有沙陀六千馀帐与北庭相依。及三葛禄、白服突厥皆附于回鹘，回鹘数侵掠之。吐蕃因葛禄、白服之众以攻北庭，回鹘大相颉干迦斯将兵救之。

云南虽贰于吐蕃，亦未敢显与之绝。壬辰，韦皋复以书招谕之。

六年（庚午，公元七九〇年）

春，诏出岐山无忧王寺佛指骨迎置禁中，又送诸寺以示众，倾都瞻礼，施财巨万；二月，乙亥，遣中使复葬故处。

初，朱滔败于贝州，其棣州刺史赵镐以州降于王武俊，既而得罪于武俊，召之不至。田绪残忍，其兄朝，仕李纳为齐州刺史。或言纳欲纳朝于魏，绪惧；判官孙光佐等为绪谋，厚赂纳，且说纳招赵镐取棣州以悦之，因请送朝于京师。纳从之。丁酉，镐以棣州降于纳。三月，武俊使其子士真击之，不克。

回鹘忠贞可汗之弟弑忠贞而自立，其大相颉干迦斯西击吐蕃未还，夏，四月，次相帅国人杀篡者而立忠贞之子阿啜为可汗，年十五。

五月，王武俊屯冀州，将击赵镐，镐帅其属奔郓州。李纳分兵据之。田绪使孙光佐如郓州，矫诏以棣州隶纳。武俊怒，遣其子士清伐贝州，取经城等四县。

回鹘颉干迦斯与吐蕃战不利，吐蕃急攻北庭。北庭人苦于回鹘诛求，与沙陀酋长朱

邪尽忠皆降于吐蕃。节度使杨袭古帅麾下二千人奔西州。六月，颉干迦斯引兵还国，次相恐其有废立，与可汗皆出郊迎，俯伏自陈擅立之状，曰：「今日惟大相死生之。」盛陈郭锋所赍国信，悉以遗之。可汗拜且泣曰：「儿愚幼，若幸而得立，惟仰食于阿多，国政不敢豫也。」虏谓父为阿多，颉干迦斯感其卑屈，持之而哭，遂执臣礼，悉以所遗颁从行者，己无所受。国中由是稍安。秋，颉干迦斯悉举国兵数万，召杨袭古，将复北庭，又为吐蕃所败，死者大半。袭古收馀众数百，将还西州，颉干迦斯绐之曰：「且与我同至牙帐，当送君还朝。」既而留不遣，竟杀之。安西由是遂绝，莫知存亡，而西州犹为唐固守。葛禄乘胜取回鹘之浮图川，回鹘震恐，悉迁西北部落于牙帐之南以避之。遣达北特勒梅录随郭锋偕来，告忠贞可汗之丧，且求册命。先是，回鹘使者入中国，礼容骄慢，刺史皆与之钧礼。梅录至丰州，刺史李景略欲以气加之，谓梅录曰：「闻可汗新没，欲申吊礼。」景略先据高垄而坐，梅录俯偻前哭。景略抚之曰：「可汗弃代，助尔哀慕。」梅录骄容猛气索然俱尽。自是回鹘使至，皆拜景略于庭，威名闻塞外。冬，十月，辛亥，郭锋始自回鹘还。

十一月，庚午，上祀圜丘。

上屡诏李纳以棣州归王武俊，纳百方迁延，请以海州易之于朝廷。上不许。乃请诏武俊先归田绪四县，上从之。十二月，纳始以棣州归武俊。

七年（辛未，公元七九一年）

春，正月，己巳，襄王僙薨。

二月，癸卯，遣鸿胪少卿庾鋋册回鹘奉诚可汗。

戊戌，诏泾原节度使刘昌筑平凉故城，以扼弹筝峡口。浃辰而毕，分兵戍之。昌又筑朝谷堡。甲子，诏名其堡曰彰信，泾原稍安。

初，上还长安，以神策等军有卫从之劳，皆赐名兴元元从奉天定难功臣，以官领之，抚恤优厚。禁军恃恩骄横，侵暴百姓，陵忽府县，至诟辱官吏，毁裂案牍。府县官有不胜忿而刑之者，朝笞一人，夕贬万里，由是府县虽有公严之官，莫得举其职。市井富民，往往行赂寄名军籍，则府县不能制。辛巳，诏：神威、六军吏士与百姓讼者，委之府县，小事牒本军，大事奏闻。若军士陵忽府县，禁身以闻，委御史台推覆。县吏辄敢笞辱，必从贬谪。

癸未，易定节度使张孝忠薨。

安南都护高正平重赋敛，夏，四月，群蛮酋长杜英翰等起兵围都护府，正平以忧死。群蛮闻之皆降。五月，辛巳，置柔远军于安南。

邪尽忠皆降于吐蕃。节度使杨袭古帅麾下二千人奔西州。六月，颉干迦斯引兵还国，次相恐其有废立，与可汗皆出郊迎，俯伏自陈擅立之状，曰：『今日惟大相死生之。』盛陈郭锋所赍国信，悉以遗之。可汗拜且泣曰：『儿愚幼，若幸而得立，惟仰食于阿多，国政不敢豫也。』虏谓父为阿多，颉干迦斯感其卑屈，持之而哭，遂执臣礼，悉以所遗颁从行者，已无所受。国中由是稍安。秋，颉干迦斯悉举国兵数万，召杨袭古，将复北庭，又为吐蕃所败，死者大半。袭古收馀众数百，将还西州，颉干迦斯给之曰：『且与我同至牙帐，当送君还朝。』既而留不遣，竟杀之。安西由是遂绝，莫知存亡，而西州犹为唐固守。葛禄乘胜取回鹘之浮图川，回鹘震恐，悉迁西北部落于牙帐之南以避之。遣达北特勒梅录随郭锋偕来，告忠贞可汗之丧，且求册命。先是，回鹘使者入中国，礼容骄慢，刺史皆与之钧礼。梅录至丰州，刺史李景略欲以气加之，谓梅录曰：『闻可汗新没，欲申吊礼。』景略先据高垄而坐，梅录俯偻前哭。景略抚之曰：『可汗弃代，助尔哀慕。』梅录骄容猛气索然俱尽。自是回鹘使至，皆拜景略于庭，威名闻塞外。冬，十月，辛亥，郭锋始自回鹘还。

十一月，庚午，上祀圜丘。

上屡诏李纳以棣州归王武俊，纳百方迁延，请以海州易之于朝廷。上不许。乃请诏武俊先归田绪四县，上从之。十二月，纳始以棣州归武俊。

七年（辛未，公元七九一年）

春，正月，己巳，襄王僙薨。

二月，癸卯，遣鸿胪少卿庾铤册回鹘奉诚可汗。

戊戌，诏泾原节度使刘昌筑平凉故城，以扼弹筝峡口。浃辰而毕，分兵戍之。昌又筑朝谷堡。甲子，诏名其堡曰彰信，泾原稍安。

初，上还长安，以神策等军有卫从之劳，皆赐名兴元元从奉天定难功臣，以官领之，抚恤优厚。禁军恃恩骄横，侵暴百姓，陵忽府县，至诟辱官吏，毁裂案牍。府县官有不胜忿而刑之者，朝笞一人，夕贬万里，由是府县虽有公严之官，莫得举其职。市井富民，往往行赂寄名军籍，则府县不能制。辛巳，诏：神威、六军吏士与百姓讼者，委之府县，小事牒本军，大事奏闻。若军士陵忽府县，禁身以闻，委御史台推覆。县吏辄敢笞辱，必从贬谪。

癸未，易定节度使张孝忠薨。

安南都护高正平重赋敛，夏，四月，群蛮酋长杜英翰等起兵围都护府，正平以忧死。群蛮闻之皆降。五月，辛巳，置柔远军于安南。

端王遇薨。

韦皋比年致书招云南王异牟寻，终未获报。然吐蕃每发云南兵，云南与之益少。皋知异牟寻心附于唐，讨击副使段忠义，本阁罗凤使者也。六月，丙申，皋遣忠义还云南，并致书敦谕之。

秋，七月，戊寅，以定州刺史张升云为义武留后。

庚辰，以虔州刺史赵昌为安南都护，群蛮遂安。

八月，丙午，以翰林学士陆贽为兵部侍郎，馀职皆解。窦参恶之也。

吐蕃攻灵州，为回鹘所败，夜遁。九月，回鹘遣使来献俘。冬，十二月，甲午，又遣使献所获吐蕃酋长尚结心。

福建观察使吴凑，为治有声，窦参以私憾毁之，且言其病风。上召至京师，使之步以察之，知参之诬，由是始恶参。丁酉，以凑为陕虢观察使以代参党李翼。

睦王述薨。

吐蕃知韦皋使者在云南，遣使让之。云南王异牟寻绐之曰：『唐使，本蛮也，皋听其归耳，无他谋也。』因执以送吐蕃。吐蕃多取其大臣之子为质，云南愈怨。勿邓酋长苴梦冲，潜通吐蕃，扇诱群蛮，隔绝云南使者。韦皋遣三部落总管苏嵬将兵至琵琶川。

端王遇薨。

韦皋比年致书招云南王异牟寻，终未获报。然吐蕃每发云南兵，云南与之益少。皋知异牟寻心附于唐，讨击副使段忠义，本阁罗凤使者也。六月，丙申，皋遣忠义还云南，并致书敦谕之。

秋，七月，戊寅，以定州刺史张升云为义武留后。

庚辰，以虔州刺史赵昌为安南都护，群蛮遂安。

八月，丙午，以翰林学士陆贽为兵部侍郎，馀职皆解。窦参恶之也。

吐蕃攻灵州，为回鹘所败，夜遁。九月，回鹘遣使来献俘。冬，十二月，甲午，又遣使献所获吐蕃酋长尚结心。

福建观察使吴凑，为治有声，窦参以私憾毁之，且言其病风。上召至京师，使之步以察之，知参之诬，由是始恶参。丁酉，以凑为陕虢观察使以代参党李翼。

睦王述薨。

吐蕃知韦皋使者在云南，遣使让之。云南王异牟寻绐之曰：「唐使，本蛮也，皋听其归耳，无他谋也。」因执以送吐蕃。吐蕃多取其大臣之子为质，云南愈怨。勿邓酋长苴梦冲，潜通吐蕃，扇诱群蛮，隔绝云南使者。韦皋遣三部落总管苏峞将兵至琵琶川。